Sanidad del alma herida:

Cerrando las puertas abiertas

Arline deWestmeier

Publicado por
Editorial **Unilit**
Miami, Fl. U.S.A.

Primera edición 1993

Cubierta diseñada por: Héctor Lozano

Producto 498537
ISBN 1-56063-406-5
Impreso en Colombia

Printed in Colombia

Contenido

Dedicado a

El,

que vino a poner

a los cautivos

en libertad.

RECONOCIMIENTOS

Sería imposible hacer una lista de toda las personas que a través de los años han contribuido, verbalmente o por escrito, a las ideas que conforman este libro. Sin embargo, agradezco a mi esposo, el doctor Carlos W. Westmeier, quien me animó y ayudó con sus reflexiones a través de mi ministerio en consejería. El me ayudó a entender mejor las implicaciones sutiles y peligrosas del ocultismo. Le agradezco especialmente por llamarme la atención sobre las consecuencias destructivas que la opresión socio-política causa en la siquis de la gente a nivel individual, como lo describo en el Capítulo 7.

También agradezco a Ricardo y Gloria Stella Díaz, quienes en medio de sus preparativos para volver a Colombia, destinaron tiempo para ayudarme en la revisión y redacción final de este libro.

INTRODUCCION

Durante los años que siguieron a la publicación de mi libro *Sanidad del alma herida,* muchas personas me contaron de la sanidad profunda que Dios operó en ellas. El concepto de que Cristo también llevó nuestras heridas emocionales en la cruz, era completamente nuevo para muchos. ¡Qué alivio sintieron cuando al fin pudieron expresar sus emociones más profundas, sin ningún temor de pecar, o de que Dios se enojara y les condenara. Encontraron nueva libertad y nueva intimidad con Dios. Alabo a Dios por su amor y su compasión para con sus hijos adoloridos y heridos. Algunos de esos conceptos están incluidos en los Capítulos 2 y 8 para los que quizás no leyeron *Sanidad del alma herida.*

Aquellos que encontraron esta nueva libertad en Cristo, trataron de ayudar a otros adoloridos y entonces, nuevas preguntas surgieron: ¿Qué en cuanto a los "casos difíciles"? ¿Cómo se puede ayudar a gente en esa situación? También aparecieron otras preguntas tales como: Si ya eché todas mis heridas en el "saco" de Cristo. (Ver mi libro *Sanidad del alma herida: Camino a la sanidad interior.)* ¿Por qué es que todavía las veo cuando miro la escena con mis ojos espirituales? ¿Por qué no entraron todas las heridas en el saco? Cuando Cristo llevó mi "saco" de heridas ¿por qué no desapareció el "saco"? (Alguien vio su "saco" colgado de un clavo y no se movía por nada.) Si ya entregué todas mis heridas a Cristo ¿por qué es que todavía no puedo sentirme amado?

Yo también había encontrado estos "casos difíciles". A medida que los estudiantes del seminario se graduaban y entraban en el ministerio, enviaban sus "casos difíciles" a su profesora, y yo tuve que buscar al Señor para encontrar una respuesta de El. Si Jesús dijo que El había venido para poner en libertad a los cautivos ¿por qué no estaban estos cautivos libres?

Leía la palabra de Dios y esperaba delante de El buscando su voluntad, y leía de las experiencias de otros, entonces Dios me guió a una nueva comprensión de cómo las heridas sicológicas dan lugar al enemigo de nuestras almas de donde puede agarrarse. Siempre supe eso, y hasta cierto punto usé el exorcismo, sin embargo fueron estos "casos difíciles" lo que Dios usó para mostrarme cuán nítidamente están entrelazados. Antes até y eché fuera problemas específicos, tales como temor, odio, automutilación, y otros más, pero este proceso parecía no tener fin. Ello me hizo pensar en lo imposible que sería tratar de pescar con un anzuelo todos los peces de un lago. A pesar de pescar muchos peces, siempre quedarían algunos. ¿Cuántos más quedarían? ¿Por qué parecía que seguían volviendo al lago?

A medida que mi experiencia y mi lectura progresaban, más y más me daba cuenta de la importancia de cerrar cada parte de la vida de una persona al reino de las tinieblas y de pedir a Cristo que El entrase a cada área afectada y la iluminara con su luz. Al hacer esto, me sorprendió la rapidez con que estos "casos difíciles" progresaron. Me parecía entonces que, así estábamos tapando los ríos que llenaban los lagos y además, ya no pescábamos con anzuelo sino con red.

Más tarde, durante el tiempo de seguimiento, podría ser necesario sacar algunos peces restantes con anzuelo, tal como un temor u otro problema específico, pero sería algo menor comparado con lo que ya se había hecho. Votos, tales como: "¡Jamás amaré a alguien otra vez!", tenían que ser rotos en el nombre de Jesús de Nazaret, antes de que la persona pudiera amar otra vez.

Después de cerrar las puertas, estas personas tenían que aprender a orar con eficacia, a confiar, a amar, y a cómo llegar a hacer contacto con esa parte de ellos mismos que dejó de crecer cuando fueron heridos. También, tenían que aprender a vivir en un mundo caído. Sintieron su nueva libertad como algo tan bello que, a veces, parecía que se les había olvidado que aún no habían llegado al cielo. Pensaban que todos los problemas habían sido solucionados o que tendrían solución y que todo el mundo debía quedar ciento por ciento sanados. Ello quería decir que nunca volverían a necesitar medicinas y si alguien tuviera que tomarlas, habría sido porque algo en su vida andaba mal o seguía reprimido.

Sin embargo, debo decir que todos nuestros problemas no se solucionarán hasta cuando Cristo vuelva y restaure todas las cosas. Algún día nuestros cuerpos dejarán de funcionar y moriremos, tendremos tristezas y dolores mientras vivamos en este mundo. Tendrían que leer una y otra vez los últimos dos capítulos de *Sanidad del alma herida* donde me refiero a cómo permanecer en paz en un mundo donde no todas las dificultades pueden ser solucionadas.

Los últimos.cuatro capítulos se escribieron para los que aconsejan u oran por otros. Las oraciones en el Capítulo 9 también sirven como guías para cerrar las puertas en la vida de uno mismo. Los que han sido gravemente traumatizados casi siempre deben tener a alguien que les guíe a través del proceso de su sanidad; de eso trata el Capítulo 10. Los Capítulos 11 y 12 tratan con preguntas que los consejeros se plantean cuando Dios empieza a usarles en el proceso de traer a otros a la libertad en Cristo.

CAPITULO 1

Puntos débiles y puertas abiertas

Carlos estaba espantado, la justicia al fin lo había atrapado. Vendiendo drogas y robando carros se había hecho muy rico por un tiempo, pero también ya lo había perdido todo. Ahora se enfrentaba a una larga condena, posiblemente de cincuenta y tres años.

"Señora Westmeier, quiero ser sanado", Carlos me dijo después de un seminario sobre sanidad emocional. "Mi vida ha cambiado; lo único que quiero es servir a Dios. Sé que El me ha salvado, pero no estoy sano; mi corazón está roto. Tengo que hablar con usted".

Al día siguiente en mi oficina, Carlos me contó la historia de su vida. Cuando él tenía apenas cinco años, su padre murió de un infarto. El era el menor de cinco hijos, único varón, y su madre era esquizofrénica. Carlos amaba entrañablemente a su papá. Un día su padre no volvió a casa y nadie le dijo que había muerto. No le permitieron verle en el ataúd y tampoco lo llevaron al entierro. La mamá quedó tan golpeada por la muerte inesperada de su marido que permaneció en cama por muchas semanas sin poder prestar atención a ninguno de sus hijos. Carlos recordaba cómo sus lágrimas corrían por sus mejillas y se mezclaban con su desayuno cada mañana, por más de un año. Su tío trató de consolarlo, pero él sólo anhelaba a su papá.

Cuando tenía ocho años, Carlos decidió que nunca jamás volvería a confiar en alguien. "Endurecí mi corazón", dijo. "Decidí no dejar que nada, ni nadie me causara dolor otra vez. Siempre atacaría primero, antes de que otro me pudiera atacar a mí".

A través de los años, su corazón se endureció más y más; a los trece años, Carlos usaba drogas de toda clase, hasta llegar a convertirse en traficante, ya no sólo las consumía, sino también las vendía.

"Decidí que si no había podido tener amor, lucharía por conseguir todo lo demás que quisiera: tendría todo el dinero, mujeres y carros que se me antojara. ¡Nadie me iba a prohibir nada!"

Los carros le fascinaban y robarlos le producía miles de dólares a la semana. El sólo robaba las mejores marcas importadas: Mercedes Benz, Cadillac, BMW, Lincoln, etcétera. En poco tiempo tenía una entrada de más de 6.000 dólares semanales. Ahora podía obtener todo lo mejor y solamente lo mejor: el mejor apartamento, las mejores chicas, la mejor comida, las mejores drogas; con dinero podía adquirir cualquier cosa que quisiera y siempre había más por conseguir, pero ello no le ayudó a sanar su corazón quebrantado. En aquel entonces Carlos tenía dieciocho años.

Varias veces él trató de suicidarse, tomando una sobredosis de drogas, pero siempre alguien lo rescató con vida. Un día la policía lo detuvo y entonces perdió todo. En medio de su desesperación, Carlos decidió entregar su vida a Cristo, y Dios le oyó y le salvó. A los veintidós años y mientras esperaba su sentencia, trataba de reiniciar y poner su vida en orden.

"Ahora sé que tener a Dios es lo único que realmente tiene valor", continuaba Carlos. "Yo tuve todo lo que el mundo tiene para ofrecer, y nada vale la pena, nada ha podido sanar ni eliminar mi dolor. Mi cuerpo está enfermo y mis dientes están rotos por todas mis peleas, necesito ser sanado. Por favor, ayúdeme".

Carlos creía que Dios le estaba llamando a ser pastor, quería estudiar para prepararse, pero tenía miedo de siquiera intentarlo. Nunca había estudiado en instituciones normales. Todo lo que había logrado era obtener un diploma equivalente a estudios secundarios, otorgado por uno de los reformatorios donde había estado internado algunas veces debido a su conducta. Por eso, no sabía si podría estudiar una carrera. Pero mucho más allá de todo esto, Carlos necesitaba sanidad para su corazón quebrantado.

Apenas pude verle brevemente y orar con él antes de su encarcelamiento. Milagrosamente, su condena fue rebajada a dieciocho meses y después de permanecer en la cárcel por seis meses, lo dejaron salir libre debido a su buena conducta.

"Carlos", le dije cuando regresó después de cumplir su tiempo en la cárcel, "debes recorrer con Cristo todos esos años de dolor y entregarle a El una por una todas esas heridas". Poco a poco recordó escena, tras dolorosa escena y así trajo sus heridas a Cristo para sanidad.

"Pero sencillamente no puedo confiar en Dios", Carlos lloró vez tras vez angustiosamente. "¡Algo no me permite tener fe en El!"

"Bueno, vamos a pedirle a Dios que nos muestre cuál es el obstáculo que no te permite confiar en El", un día le contesté. "Durante esta semana quiero que ores así: 'Señor, muéstrame qué es lo que me impide esperar en ti. Decido abrirte mi corazón para que puedas mostrarme aquello que no me permite tenerte confianza'".

A la semana siguiente, Carlos me contó del voto que había hecho en el pasado cuando él prometió nunca más volver a confiar en nadie.

"Carlos, tenemos que romper este juramento. Nunca podrás confiar en Dios, ni en nadie más si no lo deshacemos. ¿Estás dispuesto a romperlo?"

"Señora Arline, si eso es lo que debo hacer para sanar mi vida, sí, estoy listo".

Oramos juntos, yo guiándolo y él siguiéndome: "Señor Dios mío, ahora mismo, hago esta declaración delante del mundo visible e invisible: 'En el nombre de Jesucristo de Nazaret, deshago el voto que hice, que nunca jamás iba a confiar en nadie otra vez. Renuncio a ese juramento en Su nombre y entrego a Cristo cada área de mi vida que fue afectada por ese voto.

"Te declaro a ti, Señor Jesucristo, rey de cada área de mi vida; entra por favor, y toma tu trono. Me abro a ti, para que tú me enseñes a confiar en ti y en otros. Te doy permiso para transformarme".

Poco a poco procedimos a través de las heridas en cuanto a la "desaparición" de su padre. El lloraba y lloraba como un niño.

"Carlos, cuántos años tienes interiormente?", le pregunté un día.

"¿Qué quiere decir? Tengo veintidós años".

"Tienes veintidós años exteriormente, en tu cuerpo, pero interiormente hay un niño en ti; mira adentro y ve cuántos años tiene él".

"Más o menos cinco años", contestó lentamente.

"Muy bien", le dije. "Esa es la edad que tenías cuando murió tu padre. Quiero que vayas donde está enterrado tu papá, te sientes en su tumba, y escribas una carta al padre que llevas en tu memoria; cuéntale todo acerca de este niño de cinco añitos. Háblale de todo tu dolor, cómo tuviste que tragarte tus lágrimas con tu desayuno, cuán enferma estaba tu mamá, cuánta falta él te hizo y cualquier otra cosa que se te ocurra decirle".

Carlos jamás había visitado la tumba de su padre. Volvió con hojas y hojas de papel escritas y empapadas de lágrimas. Entregamos todo ese dolor a Cristo Jesús, para que El lo llevara en la cruz y que sanara el corazón de Carlos (Lucas 4:18).

Como nadie jamás confortó a Carlos cuando murió su padre, le dije que volviera otra vez a la tumba, pero esta vez para escribir una carta al niño de cinco años que había dentro de él, explicándole qué pasó con su papá y consolándolo por su pérdida.

Carlos estaba seguro que no sabría cómo alentar al niñito. "Dile algo como: 'Tu papá murió porque estaba muy enfermo, no quería dejarte solo y seguramente no quiso morir, pero estaba demasiado enfermo para seguir viviendo. Tú no tuviste la culpa de su muerte....'", le dije. "Pide a Cristo que te dé las palabras que el niñito necesita oír". Otra vez Carlos volvió con hojas y hojas de papel escritas y empapadas de lágrimas, y llevamos su dolor a Cristo para ser sanado.

Además, Carlos tenía problemas en su vida social; había aprendido a pintar carros y lo hacía bien. Sin embargo, si le ocurría algo desagradable se ponía rabioso, listo a pelear y maldecir al jefe o a cualquier otra persona. Tenía muchas multas y deudas de su vida pasada que quería pagar, pero cada vez que encontraba un buen trabajo y todo empezaba a marchar bien, Carlos lo abandonaba enojado, o se comportaba de tal manera que le despedían.

Orábamos por un nuevo trabajo y siempre encontraba buenos empleos, pero cuando alguna cosa no andaba bien, por más mínima que fuera, se enfurecía y gritaba: "Si Dios no me puede dar algo mejor que esto, yo mismo me lo buscaré y ahora lo haré a la manera de *Carlos*. ¡Yo puedo hacerlo mucho mejor! ¡Mire todo lo que alcancé cuando estaba solo! ¡Dios no vale la pena!"

Otro problema social de Carlos giraba alrededor de su comportamiento con las chicas. El siempre usaba sus mejores maneras para conquistar la muchacha que le interesaba, hasta que ella cedía a sus avances, entonces la dejaba e iniciaba la "cacería" de otra. Así había engañado a muchísimas jóvenes. El coleccionaba números telefónicos de chicas como los muchachitos coleccionan láminas de futbolistas.

Un día, después de otra catástrofe, Carlos se encontraba en mi oficina, gimiendo: "Señora Arline, tengo que deshacerme de mi vida pasada; realmente sé que no puedo seguir así".

"Carlos", le pregunté, "¿cuán grande es tu anhelo de ser libre?"

"¡Oh, yo daría *cualquier cosa* por ser libre!"

"¿De veras, Carlos? *¿Cualquier cosa?"*

"¡Sí! *Cualquier cosa*", replicó.

"Bueno. Entonces no sigas coleccionando números telefónicos de chicas".

Carlos se puso pálido:

"¡Oh, no! ¡No puedo hacerlo! ¡Eso me mataría!"

"Carlos, me dijiste que estabas dispuesto a dar *cualquier cosa* por quedar libre. ¿No es cierto? ¿Quedar libre tiene suficiente valor para ti como para que estés dispuesto a destruir todos estos números telefónicos y no coleccionar ninguno más por lo menos por un mes entero?"

"Pero..., señora Arline, usted no entiende. ¡Estos números telefónicos son mi identidad! ¡Yo no puedo vivir sin ellos! ¡Voy a morir si no los tengo!"

"No. No te vas a morir si te deshaces de ellos. Eso es una mentira del diablo para que permanezcas atado. Si tú de veras quieres ser libre, haz lo que te digo. Piensa que esto es como una especie de 'ayuno' para demostrar al diablo que estás firme y serio en cuanto a este asunto", le animé.

El mes fue muy duro para Carlos, pero logró terminarlo, destruyendo y no coleccionando más números telefónicos de las chicas. Esto rompió las ataduras de la "cacería desaforada" de mujeres y por consiguiente su vida mejoró.

Cristo dijo: "Si el Hijo de Dios os hace libres, seréis libres de veras" (Juan 8:36), pero Carlos todavía no era libre: Aún no podía confiar en Dios y no creía que su camino fuese el mejor para él.

Durante todo este tiempo estuvimos atando y echando fuera pecados y dificultades específicos, en la medida en que surgían. Renunció a todos los contactos que tenía con ocultismo y que él podía recordar. Cada vez tenía más victorias, pero el proceso parecía no tener fin.

"Carlos", le dije un día, "tenemos que orar a través de toda tu vida y cerrar todas las puertas que han sido abiertas al reino de las tinieblas, esto incluye todo tu espíritu, siquis (alma), cuerpo, y vida social".

Le pedí que me trajera una lista detallada de todo lo que había hecho antes de entregarse a Cristo; cosas tales como la clase de películas y programas de televisión que veía, la música que escuchaba, los libros que leía, las drogas que usaba, y cualquier contacto que hubiera tenido con ritos mágicos, o con espiritistas o curanderos, etcétera.

La siguiente vez que nos encontramos, Carlos trajo una lista muy larga de todo lo que había hecho. En oración reafirmamos aquello a lo cual ya había renunciado, atando y echando fuera todo lo que afectaba su vida. En el nombre de Cristo Jesús cerramos las puertas que estos actos le habían abierto al reino de las tinieblas, y desatamos en Carlos la capacidad de vivir una vida diferente, una vida nueva.

Esto fue un camino muy largo y difícil para él. En cada área, cerramos las puertas que habían pasado de generación en generación y también las que se abrieron por algo que él directamente había hecho, pedimos a Cristo que las cubriera con su sangre y las sellara con su mano. También atamos y echamos fuera las tinieblas que habían penetrado por esas puertas y pedimos a Cristo que con su luz iluminara cada esquina y lugar recóndito, porque sabemos que cuando El entra con su luz, no hay tinieblas que se puedan resistir o permanecer.

Entonces, delante del mundo visible e invisible, Carlos declaró a Cristo como rey de cada área de su vida. Le invitó a que tomara su trono y le mostrara qué *debería* pensar, decir, sentir, hacer, y ser, así como también lo que *no debería* pensar, decir, sentir, hacer, o ser. Prometió que, por la gracia de Dios, le obedecería en todo. Desaté en él, en el nombre de

Cristo, la capacidad de pensar, sentir, hablar, actuar, y ser como Dios había diseñado el plan original para su vida.

En aquel tiempo, Carlos asistió a tres o cuatro citas de una hora cada semana. Muchas veces sentía náuseas durante la oración y a veces vomitaba una flema espesa. Con frecuencia encontramos resistencia y tuvimos que esperar hasta que Dios nos mostrase qué parte de su vida necesitaba atención especial. En cierto punto la resistencia llegó a ser tan aguda que tuve que pedir a tres hermanos en la fe, que me acompañaran en un tiempo de oración especial por Carlos, esa oración duró varias horas hasta que la resistencia cedió.

Cuando terminamos, Carlos sintió como si le hubiéramos quitado un peso de encima. El estado depresivo, bajo el cual sufrió por tanto tiempo, había desaparecido, y por primera vez, pudo salir con una chica sin buscar favores sexuales.

Ahora quedaba la lucha por controlar sus pensamientos y traerlos a la obediencia de Cristo. Carlos ya no podía permitirles correr en cualquier dirección que quisieran; tenía que aprender a pensar lo que Dios quería que él pensara.

La vida de Carlos se modificó radicalmente aunque yo hubiera querido un cambio aun más rápido, pero él tenía que aprender nuevos hábitos y una nueva manera de vivir.

Cierto día que Carlos se encontraba enfrentando una nueva crisis, le pregunté: "Bueno, Carlos, ¿qué vas a hacer ahora? ¿Vas a tratar de conseguir lo que quieres a tu manera?"

"No", me contestó, "ya no puedo. Desde que cerramos esas puertas las cosas dentro de mí marchan diferente, sencillamente no puedo ir corriendo por mis propios caminos como antes".

Carlos aún tiene mucho por crecer, pero ahora puede progresar mejor. Su meta es tener una vida valiosa para Dios. Cuando él aceptó a Cristo como su salvador, su vida cambió, pero su crecimiento fue lento y esporádico. Algo nuevo comenzó en su vida cuando él renunció a su pasado y cerró las puertas que estaban abiertas al reino de las tinieblas y fue liberado de la influencia demoníaca bajo la cual sufrió por tanto tiempo.

OPRESION DE LO OCULTO

Cuántas veces nos hemos preguntado: ¿Cómo es posible que un creyente, nacido de nuevo, pueda ser oprimido por un demonio? Cuando Cristo entra en la vida de alguien ¿no se arreglan todas estas cosas? ¿No está uno automáticamente liberado de toda la vida pasada? ¿Cómo es que un creyente puede necesitar liberación? Quizás la ilustración que sigue nos ayude a entender mejor este problema. Si un ladrón que trabaja en un equipo de construcción que está fabricando una casa para una familia rica, quisiera regresar más adelante a robarles, astutamente él se encargaría de dejar varios puntos débiles en la edificación. En el primer piso mezclaría con mucho cuidado el cemento en proporciones equivocadas y así lograría que un área de la casa quedara vulnerable. En el segundo piso tal vez no clavaría todas las puntillas necesarias. Desde luego lo haría muy encubiertamente, para que nadie notara lo que había hecho.

Al mudarse la familia a la casa y desempacar todas sus riquezas, el ladrón está listo para comenzar con su plan. ¿Cómo va a entrar? El no va a tocar el timbre de la puerta y decirle al dueño: "Yo soy un ladrón, por favor abra la puerta que quiero entrar a robarles". ¡No! El irá al sitio que ha preparado, al lugar débil en la pared del primer piso y allí empezará a "trabajar" para hacer un hueco.

Si es un ladrón inteligente, meterá ratones en las paredes para que mientras él "trabaja" la familia piense que el ruido viene de los ratones. Quizás aun empiecen a pelearse: "Te dije que pusieras la trampa para esos ratones. ¡Siempre se te olvida!"

"Pero si he puesto la trampa y no ha caído ningún ratón en muchos días, siempre me acusas de no poner la ratonera".

"Si realmente la pusieras, ya no habría ratones".

"Nunca puedo hacer nada bien para ti. ¡Hazlo tú mismo la próxima vez!"

Durante todo este tiempo el ladrón se queda en este punto débil, "trabajando", procurando entrar en la casa para robarles. Quizás un vecino les dice: "Miren, hay un ladrón detrás de la casa tratando de entrar".

El dueño de la casa podría decir: "¿Qué quiere decir con que hay un ladrón detrás de la casa? Yo no creo en ladrones y además, invité a un policía a que viviera en una de las alcobas de tal manera que si hubiera alguno, no se atrevería a molestarnos".

Durante todo este tiempo el ladrón sigue trabajando en este punto débil de la pared, tratando de entrar. Si nadie lo sorprende, algún día abrirá un hueco por donde puede meter el brazo y coger cualquier cosa que quede a su alcance: una cadena de oro, una billetera, un vestido o cualquier otra cosa que llegue a agarrar.

Mientras tanto, la familia puede seguir peleando:

"¿Dónde pusiste mi billetera? ¡Siempre me pierdes las cosas!"

"¡Siempre me echas la culpa de todo!"

Si nadie sorprende a este ladrón, él continuará haciendo el hueco cada vez más grande, hasta poder entrar. Entonces atará a toda la familia y se posesionará de la casa. Desde luego, el dueño habría podido evitar todo eso si hubiese escuchado al vecino y hubiera prendido al ladrón, o si hubiese permitido a la policía vigilar toda la propiedad, adentro y afuera.

Esto sirve como ilustración de lo que puede pasar en nuestra vida cristiana: Cristo nos dice que Satanás es como un ladrón; es nuestro enemigo que quiere robarnos todo lo que es bueno (Juan 10:10). Hay puntos débiles en nuestro carácter que pueden haber sido trasmitidos de generación en generación, así como también hay heridas de nuestro pasado que nunca han sido sanadas y nos hacen muy vulnerables en algunas áreas. Es a estos puntos débiles y vulnerables donde viene el enemigo y araña y araña; él nos *oprime* precisamente en estos puntos débiles, él nunca viene a molestarnos en las áreas donde somos fuertes.

Si la persona no ha sido liberada de esta opresión, el enemigo sigue trabajando y trabajando hasta que la resistencia desaparece, y el ladrón hace un hueco en la pared por donde abre puertas al reino de las tinieblas. A través de estas puertas abiertas, el enemigo roba las cosas buenas que Dios tiene para la persona y así pierde el control de esta parte de su vida, y es lo que en Teología se conoce con el término de obsesión. Entonces pudiéramos decir que la persona está *obsesionada* por un demonio.

También, si la persona no es liberada, el ladrón seguirá haciendo el hueco más grande, hasta que pueda entrar. Entonces él tomará posesión de la casa, atará al dueño y la persona sería *poseída.*

Sin embargo, todo eso se hubiese podido evitar si el dueño hubiera buscado liberación cuando apenas se encontraba oprimido. Otra manera de haber prevenido la posesión, hubiese sido que el dueño hubiera entregado cada parte de su vida a Cristo (la policía) para controlarla y reinar sobre ella. Así durante este proceso, el ladrón habría sido descubierto y expulsado de su propiedad.

Si alguien tiene heridas emocionales que parecen resistirse a la sanidad, aun después de haber sido traídas al Señor Jesucristo, muchas veces ellas están relacionadas con algo que puede servir como una puerta abierta al reino de las tinieblas. La sanidad emocional de Carlos no progresó más hasta que cerramos sus puertas.

PUNTOS DE HERENCIA

En Carlos, las puertas al reino de las tinieblas habían sido abiertas por las cosas en las cuales él mismo se había metido; en otros, las puertas abiertas pueden pasar de generación a generación hasta llegar a ellos.

La Biblia nos dice en Exodo 20:5, que Dios castiga los pecados de los padres en los hijos hasta la tercera y cuarta generación, pero demuestra su amor a millares de los que le buscan. Dios nos dice eso, no para hacer que estos pecados lleguen a nuestros hijos, sino porque El tiene conocimiento que estarán presentes y quiere que todos lo sepamos, así El puede sanarnos; mostrándonos su misericordia y su amor.

Para recibir su gran misericordia y su amor, debemos traerle cada parte de nuestro ser y así recibiremos su liberación, pero no podremos entregárselas si no sabemos cuáles son estas áreas de opresión que Dios quiere sanar.

En mi propia vida tenía un área de opresión. Entregué mi vida a Cristo a la temprana edad de más o menos tres años y medio; siempre quise servir al Señor con todo mi corazón. Sin embargo, todos en mi familia nos enojábamos muy fácilmente y cuando ello ocurría, decíamos en nuestro dialecto de Pensilvania Dutch, *"My Miller Blut kocht"* (Mi sangre de Miller está hirviendo). ¡Parecía que yo había heredado una porción doble de "sangre de Miller"!

Por años traté de contener mi enojo, sin obtener ningún resultado. Un día, oí decir por la radio que si alguien tenía un pecado que no podía vencer, debía llamar al pecado por su nombre y ordenarle que se fuera en el nombre de Cristo. Aquel día yo dije a mi irritación y rabia que se alejasen de mi vida, también dije a Dios que no iba a tratar más de dominar mi ira, porque si El no lo hacía, jamás sería dominada; yo había tratado de hacerlo por mí misma durante mucho tiempo y había sido imposible. Si El no me cambiaba, yo jamás cambiaría.

Al principio nada ocurrió, pero poco a poco llegué a darme cuenta de que yo "explotaba" instantáneamente, aun antes de poder reconocer que iba a enojarme. Entonces le pedí a Dios que me diera un poco de tiempo entre el momento en que lo que ocurría me iba a hacer enfadar y el momento en el cual yo explotaba; así por lo menos yo podía recurrir a El antes de la "explosión"; Dios tenía que mostrarme qué situaciones me hacían irritar tan fácilmente. Pronto, muy dentro de mi espíritu, empecé a reconocer una pequeña señal de parte de Dios, diciéndome: "¡Cuidado! ¡Vas a enojarte!"

Cuando eso pasaba, rápidamente intentaba no sentirme así; pero no obstante, me enfadaba. Entonces, Dios me mostró que estaba sencillamente evitando sentirme irritada bloqueando mis sentimientos o procurando no sentir nada, y eso era imposible. Nadie puede estar sin sentir "nada"; siempre se siente algo. Algún sentimiento tenía que tomar el lugar del enojo; tenía que entregarle a Cristo mi ira y recibir en su lugar otra emoción más aceptable para reemplazarlo. ¿Qué otra emoción podría sentir que fuera mejor?

"¿Qué te parece, tristeza?", oí a Dios soplar en mi espíritu.

"Sí, ¿qué en cuanto a tristeza?", pensé. "De veras puedo sentirme triste, porque si mi hermano o hermana (era con ellos que tenía la mayoría de los problemas) supieran cómo me hace sentir lo que ellos me hacen, me dejarían en paz". Realmente me ponía triste que ellos no fueran más sensibles a lo que yo sentía.

El último paso fue más fácil; mi enojo fue reemplazado lentamente por compasión; y ello fue, compasión por lo que ellos sentían y por nuestra falta de sensibilidad mutua. Yo tuve que pasar por un largo tiempo de aprendizaje, pero es claro que el primer paso hacia la victoria vino cuando yo ordené a ese "pecado" que se alejara en el nombre de Cristo.

A este punto débil de mi carácter, que me había venido de generación en generación, fue a donde el "ladrón" vino para "trabajar y trabajar", tratando de hacer un hueco en la pared para robar lo bueno que Dios había dado a mi vida.

Yo no estaba poseída, pero sí estaba oprimida. Tuve que ser liberada de ese "ladrón" si no, el ladrón al fin hubiera podido derribar mi resistencia y hubiese empezado a robarme las bendiciones de Dios; así como hacerme pelear con un amigo y perder su amistad, o de pronto, quedarme sin trabajo; quizás habría llegado a estar obsesionada, en el sentido sicológico, con la idea de que alguien quería hacerme daño y también llegar a ser una persona llena de odio, que inspirara temor a la gente que se me acercara. Finalmente, mi furia hubiera podido controlarme y lo que había empezado como la herencia de un punto débil en mi vida, hubiera podido llevarme a mi destrucción total.

Para distinguir las áreas en las cuales tal vez necesitamos liberación, en el próximo capítulo veremos cómo nos creó Dios y cómo quiere El sanarnos.

CAPITULO 2

Sanidad en Cristo

Dios quiere sanar y restaurar cada parte de nuestro ser: el cuerpo, el alma, y el espíritu. En la primera carta a los Tesalonicenses, capítulo 5, versículos 23 y 24, la Palabra del Señor nos dice:

Y el mismo Dios de paz os santifique por completo; y todo vuestro ser, espíritu, alma y cuerpo, sean guardados irreprensibles para la venida de nuestro Señor Jesucristo. Fiel es el que os llama, el cual también lo hará.

En griego, el idioma original en el cual el Nuevo Testamento fue escrito, la palabra que quiere decir alma es "psiquí", la cual dio origen a nuestra palabra siquis o sicología.

Al leer el versículo tal como está en el original, sería:

"El mismo Dios de paz os santifique por completo y todo vuestro ser, espíritu, siquis y cuerpo, sean guardados irreprensibles para la venida de nuestro Señor Jesucristo. Fiel es el que os llama, el cual también lo hará".

Podemos entonces representar estas tres partes del ser humano por medio de un triángulo:

El triángulo humano

Dios nos hizo a su propia imagen (Génesis 1:26) con el propósito de que reflejáramos su gloria. Sin embargo, desde que nuestros primeros padres le desobedecieron, la raza humana se separó de El y su imagen en nosotros quedó distorsionada y borrosa, siendo a veces casi irreconocible. Por eso es que cada parte de nosotros, el cuerpo, el alma (psiquis), y el espíritu, tiene que ser sanada y restaurada.

De otro lado, tenemos un enemigo, Satanás y todos sus demonios, cuyo único propósito es destruirnos. A él se le llama "el acusador de los hermanos" (Apocalipsis 12:10), porque él nos acusa delante de Dios día y noche, y continuamente está tratando de encontrar una manera de hacernos caer en el pecado. Cristo vino con el propósito de redimir y restaurar cada área de nuestra vida, así como para liberarnos de las garras de Satanás.

SANIDAD INTEGRAL

Cristo nos dice en Lucas 4:18, 19 y 21:

> *El Espíritu del Señor está sobre mí, por cuanto me ha ungido para dar buenas nuevas a los pobres; me ha enviado a sanar a los quebrantados de corazón; a pregonar libertad a los cautivos y vista a los ciegos; a poner en libertad a los oprimidos; a predicar el año agradable del Señor. Hoy se ha cumplido esta Escritura delante de vosotros.*

Cristo vino a libertar a los cautivos, incluyendo la cautividad generada por nuestros propios complejos; El vino a salvar y sanar nuestros corazones quebrantados. ¡Cristo ha venido para darnos libertad! Isaías 53:4-5 dice: *Ciertamente llevó él nuestras enfermedades y sufrió nuestros dolores; y nosotros le tuvimos por azotado, por herido de Dios y abatido. Mas él herido fue por nuestras rebeliones, molido por nuestros pecados; el castigo de nuestra paz fue sobre él, y por su llaga fuimos nosotros curados.* Observemos el versículo 4 nuevamente. Cristo llevó nuestras enfermedades y nuestros dolores. Dolores y enfermedades son dos vocablos diferentes, con distintos significados que pueden presentarse simultáneamente o en situaciones independientes. La Palabra del Señor nos habla acerca de nuestras enfermedades físicas y nuestros dolores síquicos, y también cómo El llevó nuestros pecados. Todo lo anterior nos permite concluir que enfermedad, dolor, y pecado son nominativos distintos que afectan diferentes partes de nuestro ser.

SANIDAD ESPIRITUAL

Oímos hablar con mucha frecuencia en nuestras iglesias que Cristo vino para sanarnos espiritualmente y perdonar nuestros pecados. Esta es la base de nuestra sanidad. Podemos indicarla por medio de la base del triángulo que aparece en la página 28.

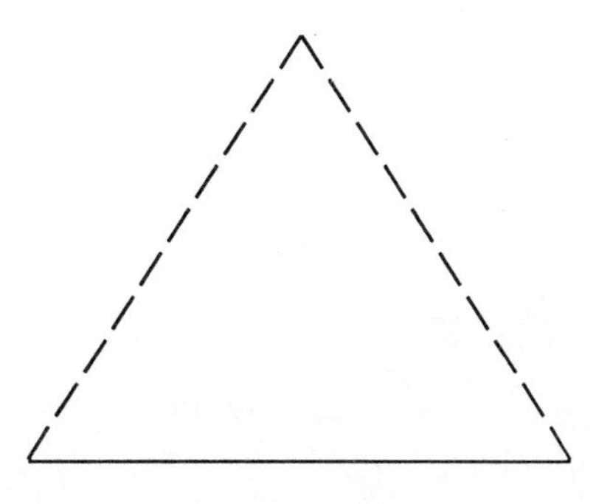

La sanidad espiritual

Cuando nos entregamos al Señor Jesucristo, El entra en nuestra vida, nos limpia de nuestros pecados, nos hace sus hijos y nos da su salvación. La palabra "soso" en griego quiere decir indiscriminadamente, salvar y sanar. No existe en tal sentido dos palabras diferentes. Cristo no vino solamente para salvarnos, sino también para sanarnos. Cuando El salva espiritualmente, sana también nuestro espíritu. Ambos elementos son parte de un único y completo proceso.

SANIDAD FISICA

La Biblia también nos habla acerca de la sanidad física. Santiago nos dice que si alguien está enfermo, debe llamar a los ancianos de la iglesia quienes le ungirán con aceite, orarán por él y Dios le sanará. De dicha sanidad física oímos hablar con mucha frecuencia. Constantemente las iglesias realizan grandes campañas donde se ora por sanidad física. Aunque esta área es de indispensable importancia para la vida de los creyentes, no la ampliamos en este trabajo, ya que no constituye su propósito central. Incluimos sin embargo, esta corta sesión con el propósito de agregar la línea de sanidad física a nuestro triángulo humano:

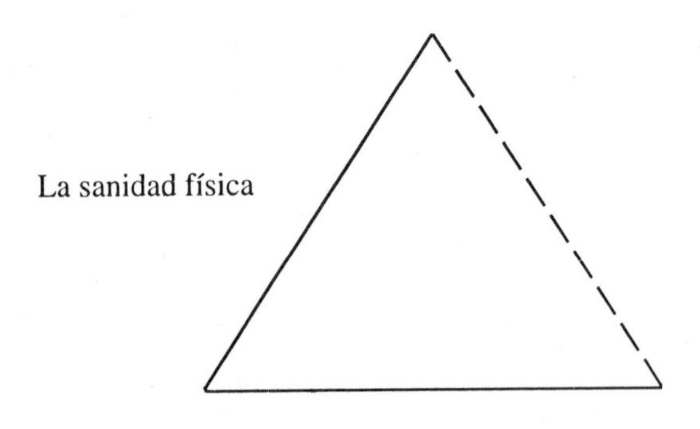

Sin embargo, si solamente consideráramos estos dos aspectos, nos quedaría un lado del triángulo sin la sanidad requerida.

SANIDAD SICOLOGICA

La estructura psicológica es una parte muy importante de nuestra naturaleza humana. Pocas veces se habla en nuestras iglesias acerca de la sanidad que esta área requiere, y casi nunca se menciona que Cristo también vino para sanar nuestra siquis. Dicha sanidad por lo regular la dejamos en manos de los sicólogos, la mayoría de los cuales no conocen a Cristo. Es una lástima la carencia de una adecuada enseñanza en esa área, ya que El Señor vino para sanar nuestra siquis tanto como nuestro espíritu y cuerpo.

En Santiago 5:14,16 no solamente se habla de los enfermos que han de ser sanados y los pecados que serán perdonados; también se nos dice que debemos confesar nuestras ofensas los unos a los otros, y orar los unos por los otros para que seamos sanados.

SANIDAD INTEGRAL

Como consecuencia de lo anterior, el triángulo de nuestra sanidad estaría constituido de la siguiente manera:

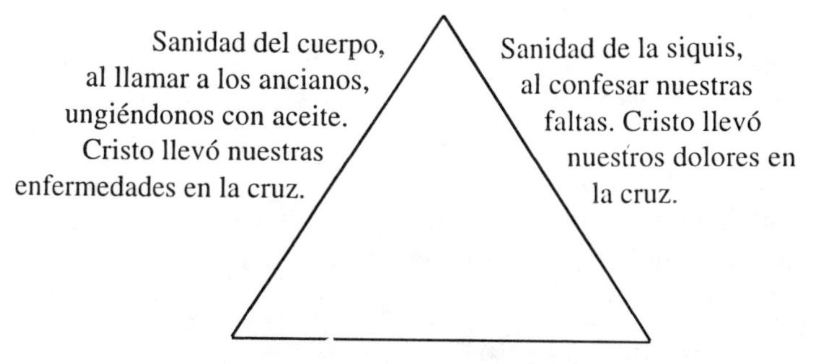

Un aspecto muy importante de resaltar, es el hecho de que cada uno de los procesos de sanidad se lleva a cabo por medio de la oración. Este ha de ser el instrumento determinante en el desarrollo de tal ministerio. Continuamente ayunamos y oramos, buscando echar fuera demonios, con el fin de encontrar en el Señor solución a nuestros problemas. Si hay demonios en la vida de alguien, desde luego se deben echar fuera; pero muchas veces, el problema no se encuentra en el área espiritual, sino en el área síquica, y por traer a la memoria el dolor de Cristo y perdonar con el perdón de Cristo a quien lo causó, la persona queda sanada.

En otros casos, los traumas en la siquis crean puntos débiles y exponen la persona a la opresión. En estos casos aunque se ore por su crecimiento espiritual (aun echando fuera demonios) habrá poco progreso ya que las puertas al reino de las tinieblas aún han quedado en la siquis y si la persona quiere permanecer verdaderamente libre, es necesario cerrar estas puertas.

SANIDAD SICOLOGICA CON OPRESION

Cualquier clase de abuso que un ser humano sufre (verbal, físico, sexual, o social), especialmente si sucede en la niñez, no solamente causa heridas sicológicas, sino también causa opresión. En muchas ocasiones heridas sicológicas y opresiones ocurren simultáneamente, casi no se pueden diferenciar y hay que tratárselas a la vez. Cuando toda la vida de alguien ha estado llena de heridas, casi no se puede distinguir un trauma de otro. En estos casos es difícil que la persona haga una lista de sus heridas, ya que toda su vida es sólo un largo dolor. Julio era una de estas personas.

JULIO

Julio tenía cuarenta y cinco años, estaba casado y tenía cuatro hijos. Sus problemas estaban relacionados con su familia y con el trabajo; varias veces había sido recluido en un hospital siquiátrico. El y toda su familia se habían entregado a Cristo y empezaban a cambiar su manera de vivir, pero Julio todavía se sentía deprimido por su pasado.

Su niñez había sido muy dura; su padre era comandante del ejército y mandaba a la familia de la misma manera que lo hacía en el trabajo: Tratando de hacer de su hijo un hombre fuerte, le castigaba cruelmente por cualquier infracción que cometía por más mínima que fuera. Durante el proceso de consejería, pedí a Julio que me hiciera una lista de sus heridas sicológicas, y él no pudo porque toda su vida había sido un largo episodio de dolor. Mezclado con su propio dolor también estaba el dolor de haber visto a su padre pegándole a su madre, y un fuerte resentimiento hacia ella porque no había hecho nada por defenderlos de él.

"Julio", le dije suavemente, "vamos a pedir que Cristo te acompañe en tu memoria a la casa donde tú viviste y sufriste tanto. ¿Puedes recordar cómo era la casa donde vivían?"

"Sí", contestó, "la recuerdo muy bien".

"Entonces, vamos a pedirle a Cristo que te acompañe, en tu memoria, a la casa y mientras le guías a la puerta, píntale un cuadro, en palabras, de lo que tú ves".

"Señor Jesús", oraba Julio, "acompáñame a la puerta de mi casa; hace calor y la puerta está abierta. Por favor entra a la sala".

De repente Julio empezó a gritar:

"¡Ay, ay, ay! ¡No, no! ¡No, Papá, no!"

"¿Qué pasa en la sala, Julio?", le pregunté.

"¡Mi papá está enojado conmigo!"

"¿Por qué está enojado?"

"Es que él cree que yo robé algo de la tienda de la vecina, pero yo no lo hice, y él no me escucha. ¡No, Papá, no! ¡No me pegue! ¡No me pegue!"

"¿Qué es lo que te hace, Julio?"

"Está arrastrándome hacia la alcoba para castigarme; dice que me pegará sesenta veces con la hebilla de la correa para enseñarme a no robar".

"Lleva a Cristo a la puerta de la alcoba y descríbele un cuadro de lo que está pasando".

"Cristo, mi papá está pegándome con la hebilla de la correa y cuenta las veces que me ha azotado. Llega a treinta y le pido que no lo haga más. '¡Por favor, Papá! ¡Papá, no más! ¡No más! ¡Nunca haré algo que no te guste! ¡Te lo prometo! ¡Por favor, Papá, por favor!'"

"El dice que tiene que hacerlo sesenta veces, o jamás voy a aprender. ¡Ay, ay, ay, ay! Al fin termina; él tira la correa en la esquina y sale enojado de la alcoba", solloza Julio, quebrantado.

"Estoy tirado en el piso, sangrando. Mi mamá viene, me recoge y me mete en la cama; ha visto todo sin hacer nada por defenderme. Yo no he podido caminar en quince días".

"Cristo", oré, "entra a esta alcoba en la memoria de Julio y párate entre él y su padre; toma la memoria de este castigo sobre tu propia espalda. Tú fuiste castigado para que Julio pueda ser libre. Toca su espalda ensangrentada y sana la piel y los músculos afectados, sana también el horror de esta experiencia.

"Julio, dile a Cristo la verdad; que tú has llevado este recuerdo por todos estos años y ya no puedes más".

"Sí, Dios", lloró Julio, "yo no puedo cargarlo más".

"Ahora, párate a la puerta de la alcoba que ves en tu memoria, al lado de Cristo", continué. "Agáchate, y toma el piso de la alcoba y enróllalo hasta que llegue al otro lado de la habitación; enrolla adentro al padre enojado, al niño sangrando en la cama, a la mamá que no hizo nada, y cualquier otra cosa que puedas recordar. Ahora dobla una parte sobre otra y pisotéala y dóblalo otra vez y pisotéalo, hasta que quede sólo un paquetito; ahora tómalo y mételo en el saco espiritual que Cristo te extiende.

"Di a Cristo, 'Cristo, yo enrollo este piso con mi papá, su enojo y su crueldad; enrollo al niñito con todo su dolor y temor y a la mamá que no hizo nada; sigo enrollando todo hasta el otro lado de la alcoba, lo doblo y lo pisoteo y lo doblo otra vez y lo pisoteo hasta que queda nada más que un paquetito. Ahora, Cristo extiéndeme un saco, yo tomo este paquetito y lo echo en tu saco. No puedo cargarlo más".

Julio repitió la oración con todo su corazón, echando todo lo que él podía recordar en el saco de Cristo. Pedimos que Cristo filtrara todo aquello del papá y de la mamá que era bueno y lo devolviera a su memoria, pero que todo lo demás lo dejara atrapado en el saco.

"Julio, mira ahora a esa alcoba otra vez, ¿qué ves allí?"

"El cuarto está vacío; apenas tiene las paredes y nada más".

"Muy bien. Ahora pide a Cristo que coloque en la alcoba algo hermoso; la Biblia nos dice que Dios quiere restaurar los años que las langostas han comido (Joel 2:25); El te dará belleza en vez de ceniza (Isaías 61:3)".

"Cristo", oró Julio, "por favor, coloca algo bonito en esta alcoba".

"¿Qué está colocando el Señor, Julio? Mira con tus ojos espirituales; ¿qué te muestra?"

Al rato Julio dijo lentamente:

"Veo a Jesús allí conmigo, El está jugando conmigo".

"¿Estás contento con El?"

"Sí".

"¿Te sientes seguro y cuidado?"

"Sí, me está cuidando".

"Señor", pedí, colocando mi mano suavemente en la cabeza de Julio, "Graba esta escena tan profundamente en la mente de Julio que cada vez que el recuerde esta escena con su padre, también pueda recordar que Tú estás protegiéndolo y jugando con él".

Julio tomó la mano de Cristo y lo llevó a la puerta del siguiente cuarto y describió lo que pasaba allí. Nuevamente enrollamos y echamos todo en el saco de Cristo; le miramos llevándolo en la cruz y le pedimos que El colocara algo lindo para recordar. Así fuimos por toda la casa, desechando todos los horrores que Julio había vivido, y cerrando las puertas abiertas al reino de las tinieblas. Julio había tenido muchas puertas abiertas en el área de la siquis.

EL TRIANGULO DEL SER HUMANO EN SU TOTALIDAD

Aunque hablamos de los diferentes aspectos del triángulo humano, y aun cada parte tiene sus propios compartimientos, nosotros vivimos como un todo; por eso cada parte afecta todas las demás. Una pierna partida, aunque pertenece al área del cuerpo, nos causa tristeza en la siquis, y en el espíritu puede hasta hacernos sentir que Dios está muy lejos y no nos protege.

Por tanto, los traumas que abren puertas al reino de las tinieblas en la psiquis pueden también abrir puertas en las otras partes del ser humano. En los capítulos que siguen vamos a mirar cada parte del triángulo humano, y descubrir cómo podemos encontrar los puntos débiles y puertas abiertas.

CAPITULO 3

Puertas abiertas en el espíritu

Para entender las áreas en nuestras vidas que pueden tener puertas abiertas al reino de las tinieblas, otra vez miraremos cómo nos creó Dios. En el último capítulo vimos que el apóstol Pablo oraba para que los Tesalonicenses fuesen guardados sin mancha en el cuerpo, la siquis y el espíritu; ello da lugar a pensar que cualquiera de esas partes puede ser atacada por el enemigo.

San Pablo también escribe en Efesios 4:26-27:

> *"Airaos, pero no pequéis; no se ponga el sol sobre vuestro enojo, ni deis lugar al diablo".*

Según eso, la ira retenida da lugar al diablo y con ella también a diferentes emociones, tales como el enojo, la rabia, el resentimiento, la amargura y muchas otras, que si son retenidas, dan lugar a Satanás y sus demonios y nos abren a la opresión, la obsesión y, en casos severos, a la posesión, porque son como "puertas abiertas" o "puntos débiles" para que el reino de las tinieblas, lance ataques directos o incluso que el enemigo llegue a controlar las áreas de nuestras vidas que hemos expuesto a su acción.

Antes que Cristo saliera del aposento alto para ir a Getsemaní, dijo a sus discípulos: "... viene el príncipe de este mundo, y él nada tiene en mí". No hubo nada en la vida de Cristo que diera lugar al príncipe de este mundo (Satanás); no hubo "puntos débiles" ni "puertas abiertas" de donde éste pudiera agarrarse o meterse.

Aunque Cristo fue tentado en todo, de igual manera que nosotros (Hebreos 4:15), no pecó. Aunque El tuvo que aprender la obediencia por las cosas que sufrió (Hebreos 5:8), nunca dio lugar al diablo en ni siquiera un solo punto de su vida. Por el contrario, todos nosotros tenemos "puntos débiles" y "puertas abiertas" al reino de las tinieblas.

AREAS DENTRO DEL TRIANGULO HUMANO

Cada parte del triángulo humano puede ser dividido en otras más pequeñas. En los capítulos que siguen miraremos cada una de ellas.

EL ESPIRITU

El espíritu humano puede dividirse en las áreas de la conciencia, la intuición espiritual y la adoración. Podemos ilustrarlo de la siguiente manera:

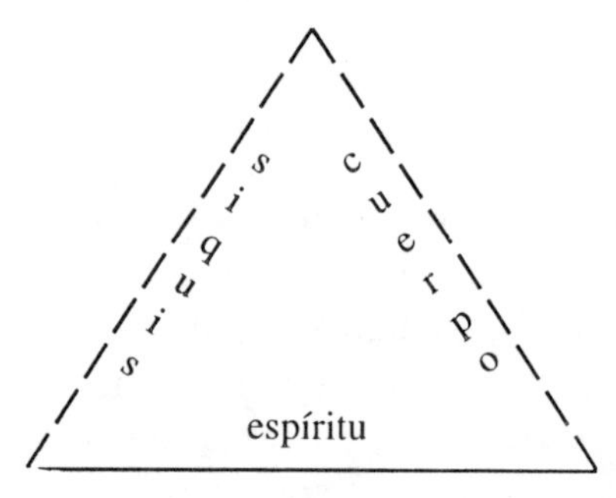

La conciencia, la intuición espiritual, la adoración.

LA CONCIENCIA

La conciencia es la primera parte del espíritu que vamos a analizar; ella nos dice si algo es bueno y correcto o malo e incorrecto. A muy temprana edad enseñamos a la conciencia de un niño lo que debe o no debe hacer. También según lo que los niños ven y experimentan con sus padres, sabrán qué cosas deben o no deben hacer. Por ello es de vital importancia que la conciencia sea enseñada según las reglas que Dios nos ha dado en la Biblia. Debemos permanecer abiertos a la acción de Dios y su Palabra para que así pueda El enseñarnos cómo debemos vivir.

Nuestra conciencia también necesita sanidad. Por ejemplo, si un niño ha sido criticado, menospreciado, o ha sido castigado demasiado, su conciencia le condenará constantemente. Como adulto, no importará lo que haga, siempre sentirá que no lo ha hecho suficientemente bien; si siente que ha hecho un buen trabajo eso mismo en alguna manera, le hace sentir culpable, porque él piensa que sentirse bien consigo mismo equivale a ser orgulloso. Esta clase de gente se examina continuamente para ver dónde ha fallado, exigiéndose más y más perfección en la medida en que se acercan a su meta, así que nunca pueden alcanzarla y por eso viven continuamente bajo la condenación de su conciencia.

En otras personas la conciencia les permite hacer casi todo lo que quieren sin hacerles sentir condenados. Ello puede ocurrir porque tal vez su conciencia nunca fue enseñada a que algo estaba mal hecho, o se ha vuelto inactiva porque su voz no fue escuchada.

Por ejemplo, tal vez le han enseñado al niño a mentir bajo ciertas circunstancias o aprendió que la única manera de escapar de un castigo injusto, un regaño, o ser menospreciado era diciendo cualquier cosa que la otra persona quería oír, fuera o no fuera la verdad. Entonces, al llegar a adulto, su conciencia le permitirá mentir sin sentirse condenado, o aun reconociendo que es una mentira, es por eso que existen personas que pueden cometer atrocidades sin sentir el más mínimo remordimiento.

Al entregarnos al Señor Jesucristo nuestra conciencia queda bajo la influencia del Espíritu Santo quien nos enseña la diferencia entre lo bueno y lo malo; poco a poco empezamos a darnos cuenta de lo que debemos o no debemos hacer y nuestra manera de vivir cambia.

Sin embargo, en ciertas personas este cambio nunca se lleva a cabo de una manera definitiva y es como si en ellas nunca se desarrollara ese sentido de saber cómo es verdaderamente la vida cristiana, mientras que en otras la condenación nunca termina. Al enseñárseles lo que la Biblia dice, parecerían conocer todo lo correcto pero este conocimiento no produce ningún verdadero cambio en su vida; es como si hubiera algo que obstaculizara la comprensión de lo que Dios les dice o les guía a hacer.

Muchas veces esa condición indica que hay puertas abiertas al reino de las tinieblas que han venido o bien a través de generaciones pasadas o a través de alguna experiencia que la misma persona ha tenido. Estas son las puertas que hay que cerrar en el nombre de Cristo.

Wanda y Mary son ejemplos de esta situación.

WANDA

Wanda se crió en un hogar cristiano muy riguroso donde muchas cosas eran prohibidas. Los niños no podían jugar ni dentro ni fuera de la casa sin pedir permiso; al volver del colegio tenían que ir directamente a la alcoba a hacer sus tareas, sin charlar o comer algo. Tampoco les era permitido contar nada en cuanto a sus problemas o dificultades del día porque, según la madre, el hogar debía ser un lugar donde no se hablaba de nada que no fuera bueno o agradable. La alcoba de los padres era un lugar estrictamente privado donde nunca a ninguno de los seis niños les fue permitido entrar. También era prohibido leer después de las nueve de la noche, que era la hora de apagar las luces, aun durante el tiempo de vacaciones y al llegar a ser jóvenes.

La única manera en que Wanda podía comer algo al regresar del colegio, era cuando ella salía silenciosamente de la alcoba a la cocina mientras su mamá miraba televisión, y cogía algo del refrigerador; desde luego cada migaja tenía que ser meticulosamente recogida para que la mamá no llegara a darse cuenta de lo que había ocurrido. A Wanda jamás se le permitió ayudar a su mamá en la cocina porque regaba demasiadas cosas, su deber era quedarse en su alcoba sin molestar.

La madre insistía en que sólo ella era la encargada de hacer todo para la familia. Un día Wanda la escuchó diciendo a una amiga, que ella era una madre y una cristiana tan buena, que nunca se le había ocurrido hacer algo malo en toda su vida; desde luego, decía que se había equivocado de vez en cuando pero que en ningún momento había pecado y jamás había tenido que pedir perdón a nadie por nada; y que su hermana, la tía de Wanda, sí había hecho todo lo malo.

Wanda y sus cinco hermanos habían entregado sus vidas a Cristo cuando eran niños, pero ahora ellos se habían rebelado en contra de todo lo que fuera cristiano, sólo Wanda quería servir a Dios con todo su corazón. Sin embargo, ella también tenía problemas, aún siendo estudiante en el seminario; ella no podía relacionarse fácilmente con adultos y sólo se podía sentir bien relacionándose con niños. Para pagar sus estudios, Wanda limpiaba casas, pero le resultaba imposible asear bien las alcobas porque su conciencia le decía que no tenía derecho a entrar allí ya que era un lugar privado donde nadie debía entrar.

Wanda también tenía problemas en su vida espiritual. A pesar de que amaba mucho a Dios, cuando se equivocaba en lo más mínimo, sentía que iba a parar al infierno y que Dios nunca la perdonaría sino hasta que sufriera alguna clase de autocastigo. Ella sabía que Cristo había muerto por todas sus maldades, pero pensaba que tenía que hacerse sufrir para demostrar cuán arrepentida se sentía.

Wanda no quería aceptar sus sentimientos negativos así que no podía llorar y aunque muchas veces se le aguaron los ojos, nunca pudo derramar una sola lágrima.

Un día le pregunté cómo era su abuela materna.

"Ay, ay, ay", dijo Wanda. "Ella era terriblemente estricta".

"Y, la tía, ¿cómo era ella?"

"Ella era la que no servía para nada, se había rebelado en contra de todo lo que mis abuelos trataron de enseñarle. Mi mamá era la que hacía todo lo bueno".

"¿Qué fue lo malo que hizo tu tía?"

"Pues, ella llegaba "tarde" a la casa, unos minutos después de las diez de la noche, la hora que exigieron sus padres, se maquillaba ... en fin, mis abuelos fueron tan estrictos con ella que mi tía dejó de hacer caso a nada de lo que ellos dijeran y ahora ni siquiera quiere tener algo que ver con Dios".

"Y, ¿es eso mismo lo que pasa en tu familia? ¿Podríamos decir que tu conciencia retiene todo lo estricto y duro de tu mamá y te hace pagar por todo que haces, mientras que la forma de responder de tus hermanos es rebelarse contra eso, rechazando todo, incluyendo a Dios? ¿No te parece que esta generación está repitiendo la división entre los que son "los buenos" de la familia y "los malos" como lo hizo la generación de tu mamá?"

Al explicarle acerca de las puertas abiertas que pueden ser trasmitidas de generación en generación, Wanda estuvo de acuerdo en que ella necesitaba esta clase de ayuda. Aquel día oramos a través de su espíritu: La conciencia, la intuición espiritual y la adoración.

A la siguiente semana Wanda volvió llena de ira y no podía identificar siquiera de dónde provenía su ira o con quién estaba airada, pero lo que había sucedido era que ella había llegado por fin a descubrir y a entrar en contacto con ese "lago" repleto de ira que había sido reprimido durante tanto tiempo dentro de ella. Además, ella se sentía tan derrotada por el solo hecho de pensar que un creyente como ella se atreviera a sentir algo tan terrible como la ira, que dejó de orar por ella misma y sólo podía hacerlo por los demás.

"¿Cómo puede Dios oírme cuando yo tengo sentimientos tan terribles dentro de mi corazón? ¡Tenemos que tener corazones limpios para llegar a Dios!", insistió Wanda.

"¿Quiere decir que tú tienes que limpiar tu propio corazón antes que puedas venir a Dios?", le pregunté.

"Pues, sé que es Dios quien limpia mi corazón, por medio de la sangre de Cristo, pero yo no puedo ir a El con estos sentimientos que tengo".

"Entonces, ¿cómo puedes ir a él?", añadí.

"Ese es exactamente mi problema, ya no puedo hablarle en cuanto a mí misma".

Lo que ocurrió después, fue el producto de mucha paciencia durante un largo proceso, a través del cual le guié suavemente hasta que Wanda al fin pudo contarle a Dios lo terriblemente enojada que se sentía; pero aún no sabía cuál era la causa de tanta rabia. Ella no podía admitir que su madre le hubiera hecho algún mal, sus padres habían escogido criar a sus hijos de esta manera y ellos, como padres, tenían todo el derecho de hacer lo que quisieron, y ella, como su hija, no tenía el derecho de cuestionar si era correcto o no. Lo triste fue que mientras Wanda permaneciera reacia a admitir que su mamá se había equivocado, desde luego no pensaba que existía razón por la cual ella debía perdonarla, no había manera de deshacerse de su enojo y así Wanda se encontraba en un problema sin salida.

Orando por las otras partes del triángulo de Wanda, especialmente por sus emociones y su vida social, y cuando por fin pudo descubrir y admitir que la mamá no siempre había hecho todo perfecto, entonces pudo hacer una lista escrita de lo que tenía que perdonarle. No fue hasta que cerramos las puertas al reino de las tinieblas y que desatamos en ella la capacidad de ver su niñez como Dios la veía, que la conciencia de Wanda le permitió reconocer sus heridas interiores, traerlas a Cristo para ser sanadas, y perdonar a su madre.

MARY

A Mary le pidieron que saliera de un Instituto Bíblico porque los directores pensaban que posiblemente era una mentirosa patológica. Mary se sentía destruida porque amaba al Señor y sólo quería servirle. ¿Ahora qué podía hacer? Después de investigar el caso, fue aceptada en el Seminario bajo la condición de asistir a sesiones de consejería.

"No entiendo qué pasó", me dijo Mary cuando vino a mi oficina. "Estaba estudiando muy bien cuando de repente todo salió mal".

"Cuéntame qué fue lo que pasó", le dije suavemente. "Juntas trataremos de entender".

"Todo empezó cuando Irene, una de las estudiantes, me dijo que yo quería quitarle el novio. Yo enseñaba una clase en la escuela dominical y la única manera que yo tenía para llegar al sitio donde debía enseñar era yendo con su novio y parece que ella sintió celos. Dijo que ella me había visto mirándole todo el tiempo, tratando de llamarle la atención con mis ojos. Más tarde le dijo a Alicia, la madre de los niños que yo cuidaba de vez en cuando, que yo estaba tratando que ella y su esposo Lester se separaran".

"¿Hiciste esto?"

"No", contestó Mary, "estoy segura que no. Yo pensaba que Alicia y Lester eran mis amigos; muchas veces les visité en su casa porque me gustaba pasar tiempo con ellos. El estaba en unas de las clases que yo también asistía, y a veces le preguntaba referente a la tarea, pero nunca me acerqué a él de ninguna manera diferente que como el esposo de Alicia y pensé que también ella era mi amiga. Además, yo tengo mi propio novio y no estoy interesada en ningún otro".

"¿Tu novio estaba en el Instituto también?"

"No, él está en el ejército. No le vi durante todo este tiempo y por eso insistieron que yo estaba interesada en estos hombres, porque pensaban que ya no me importaba él, pero eso no es verdad".

"Si realmente no estabas interesada en ellos ¿cómo crecieron los rumores hasta tal proporción que te pidieron que te retiraras del Instituto?"

"Parece que el rumor rodó por todas partes antes que me diera cuenta. Lo único que yo sabía era que Irene, que al principio del año era mi amiga, había cambiado conmigo y no sabía por qué. Unas semanas más tarde, Alicia me dijo que habían encontrado otra persona para cuidar los niños. Como yo no sabía qué pasaba, pregunté si yo había hecho algo malo y por eso habían conseguido quien me reemplazara. Ella me dijo que yo más que nadie sabía qué era lo que había hecho. Cuando le pregunté qué quería decir eso, dijo que no me comportara tan inocentemente y no me dijo nada más. Luego mi compañera de cuarto me dijo lo que pasaba".

"Van a tener un culto de oración especial acerca de eso esta noche", ella me dijo. Más tarde la directora de las señoritas llamó a Mary para que fuera a la reunión.

"Yo asistí muy contenta", prosiguió Mary, empezando a sollozar. "Pensaba que al fin todo iba a aclararse. Al llegar, pidieron que cada una dijera lo que había oído, para que todo quedara bien claro. Contaron cosas tan feas de mí, que mi mente quedó en blanco; yo sencillamente no tenía ni idea de los rumores tan terribles que estaban rodando".

Tomaban como prueba de todo, una nota que Alicia encontró en el bolsillo de Lester, que Mary le había escrito a él, preguntando en acerca de una tarea. Lester aseguró que esto se refería nada más que a la tarea, que no había nada en absoluto entre él y Mary, pero Irene insistió en que llamaran a Mary para contestar unas preguntas, pues estaba segura de que Mary tenía en mente mucho más de lo que él decía.

"Cuando me dieron la palabra", continuaba Mary, "sentía mi mente congelada y no podía pensar. Sabía que había escrito aquella nota y estaba segura de que no quería decir nada más, que saber en cuanto a la tarea, pero Irene me acusaba de cosas tan terribles que me confundió tanto, que ni siquiera sabía yo que decía.

"Entonces la directora de las señoritas decidió que lo único que podían hacer era orar y pedir que Dios les mostrara la verdad. Después de la oración me volvió a preguntar si yo quería decir algo. Otra vez traté de explicar, pero todo el mundo estaba sentado alrededor mío, mirándome fijamente y no pude hacerme entender. De pronto, la señora me dijo que Dios le había mostrado que yo de veras era culpable y no quería admitirlo.

"Eso, sí que me confundió más: si Dios le había dicho que yo era culpable, tendría que haber algo dentro de mí que yo no sabía; pero, a la vez, sabía que no era la verdad. Mc sentía tan confundida que no tengo idea qué le contesté. Al día siguiente me dijeron que yo había aceptado que todo lo que ellas habían dicho era la verdad y que yo tenía demasiado temor para admitirlo".

A la semana siguiente llamaron a Mary delante de la facultad del Instituto.

"Ellos trataron de ser muy amables conmigo", dijo Mary. "Uno de ellos se sentó a mi lado y me dijo que lo único que querían hacer era ayudarme y darme una oportunidad de defenderme; pero cuando me tocó hablar, lo único que yo pude ver fue los ojos en circulo alrededor de mí, mirándome fijamente. No pude pensar. ¡Era horrible! Oí sus preguntas pero yo no sé qué contesté. Luego me contaron que me contradecía a tal punto, que en un momento les dije que no había ido a la iglesia un domingo y ellos sabían que yo sí había asistido. Yo también sabía que había asistido pero lo que quería decir era que yo había salido temprano. Basados en esta serie de contradicciones, llegaron a la conclusión de que yo podría ser una mentirosa patológica".

Como resultado de esta reunión los líderes del Instituto decidieron que sería mejor que Mary se retirara por un año y buscara ayuda antes de seguir sus estudios. Mary sintió que el corazón se le partía, amaba al Señor y sólo quería servirle.

Con cariño le insté a que me contara en cuanto a su niñez. Sus padres se entregaron al Señor cuando Mary era una niñita; ambos querían andar en los caminos de Dios, pero no podían ponerse de acuerdo a cuál iglesia debían ir; el padre asistía a una, la madre a otra y así los niños fueron llevados de una a la otra.

Los padres eran demasiado estrictos y todo tenía que ser hecho correctamente. Si los niños hacían algo mal, les llamaban la atención fuertemente, tenían que confesar todo y entonces eran castigados severamente; no confesar algo que ellos sospechaban, merecía un castigo aun más fuerte. Mary aprendió a una edad muy temprana que la única manera de salir de una situación difícil era admitiendo que era culpable de cualquier cosa que se le acusara, aun sin serlo. Después de entregarse a Cristo trató de deshacerse de esta clase de "mentir"; quería decir siempre la verdad, pero en momentos de confrontación o tensión, su mente se bloqueaba de tal manera que no podía pensar ni decir nada, siendo la salida más rápida dar la razón a los que le confrontaban. Eso fue lo que pasó en el Instituto Bíblico.

Nosotros cerramos las puertas y los puntos débiles que el enemigo había establecido en su vida, como hacerle creer que estar de acuerdo con cualquier cosa de la cual le acusaran era la única manera de salir de una situación difícil. Desaté en ella la capacidad de decir la verdad como Cristo la dijo cuando El estuvo en el mundo, y también desaté la capacidad de ejercer un fuerte rechazo para admitir algo que no fuera verdad.

Lentamente descubrimos las muchas heridas emocionales, y poco a poco Mary aprendió que podía decir lo que sentía. Si alguien le contradecía, supo como echar su enojo sobre Cristo, y amablemente pero con firmeza quedarse con lo que su conciencia le decía que era la verdad.

Aunque los padres de Wanda y Mary respectivamente tuvieron las mejores intenciones de enseñar a sus hijos cómo vivir una vida que honrara a Dios, su enseñanza y forma de vivir tan estricta, sin perdón ni comprensión, desarrolló en sus hijos conciencias tan severas y estrictas que sencillamente no podían disfrutar la vida de libertad que Dios tiene para sus hijos. Sus traumas eran tan profundos que llegaron a ser puertas abiertas al reino de las tinieblas.

LA INTUICION ESPIRITUAL

En la segunda parte del espíritu sentimos el amor que Dios nos tiene. Si esta área está sana, sabremos intuitivamente que Dios quiere darnos buenas cosas y que no está en contra de nosotros, esperando que nos equivoquemos para castigarnos. Por el contrario, sentiremos que El es bueno, que podemos confiar en El, que está listo a guiarnos a pastos verdes (Salmos 23) y que quiere darnos el fin que esperamos (Jeremías 29:11). Hay personas que no pueden sentir ese amor de Dios y Angela era alguien que tenía este problema.

ANGELA

Angela temía que iba a fracasar en uno de sus exámenes en sus estudios secundarios. Una amiga suya le dijo que arrodillándose al lado de la tumba de un hombre malvado que habían enterrado el día anterior y rezando el Padre Nuestro al revés, sin duda, le haría salir bien. Ella lo hizo como le había dicho su amiga y luego se olvidó del asunto.

Años después se entregó a Cristo y quiso servirle con todo el corazón; su esposo era pastor y ella servía fielmente a su lado. Sin embargo, durante todos estos años no podía sentir que Dios le amaba; siempre estaba pensando que Cristo iba a volver y se llevaría a todos dejándole a ella atrás.

En una reunión en la iglesia de ellos, mi esposo Carlos, hablaba en cuanto a la necesidad de renunciar a todo lo que alguien ha hecho y que podía haber puesto a la persona en contacto con el reino de las tinieblas. De repente, Angela recordó su oración. Este día renunció a lo que había hecho y cerró todas las puertas que esta experiencia había abierto en su vida. Unos meses más tarde, Angela me contó que por primera vez en su vida había podido sentir el amor de Dios.

Si alguien no puede sentir el amor de Dios o sentirse guiado por El, aún después de haber traído sus heridas emocionales a Cristo para ser sanado, eso puede indicar que existen puertas abiertas al reino de las tinieblas en su intuición espiritual.

LA ADORACION

La tercera parte en nuestro espíritu es el área de la adoración. Todos tenemos la necesidad de adorar; necesitamos a algo o a alguien más grande y poderoso que nosotros, a quien adorar. Los israelitas se hicieron becerros dorados y se inclinaron delante de ellos (Exodo 32), los honraron como a seres más grandes y fuertes que ellos, haciéndolos sus ídolos. Estos ídolos sirvieron para llenar esa necesidad de adorar que Dios nos dio para atraernos a El. Nos dio esta capacidad y necesidad para que le busquemos y para que El a su vez pueda encontrarse con nosotros.

Muchos de nosotros nos sentimos inhibidos en nuestra adoración, no podemos adorar a Dios libremente. Mi familia y la iglesia donde me crié me enseñaron fuertemente en contra de la idolatría; tenemos que tener mucho cuidado, me dijeron, de no adorar a nada ni nadie más que a Dios. Eso me impresionó mucho y yo no quería ser como los israelitas, ni tampoco inclinarme delante de un dios falso.

En Colombia, las iglesias tienen un estilo de adoración mucho más abierto que al que yo había sido acostumbrada, en estas iglesias aprendimos a alzar las manos en señal de adoración a Dios. Me sentía muy incómoda al hacerlo; entonces me di cuenta que yo no podía adorar a Dios libremente, ni siquiera podía decirle que le enaltecía y me inclinaba ante El, porque me sentía que era como los israelitas cuando adoraban a los becerros dorados. Sin embargo, sabía que

Dios debía llenar exactamente esa parte de mi vida que los israelitas llenaron con sus ídolos. Yo tenía tanto temor de adorar a un ídolo que ni siquiera Dios tenía un lugar de adoración en mi vida.

Tuve que tomar la decisión de adorar a Dios, sin importar lo que sintiera.

"Señor", le dije, "yo decido adorarte, te enaltezco, Dios más grande que todo lo demás. Te exalto y me inclino delante de ti; te hago mi 'ídolo'. Tú eres mi Dios, te rindo homenaje y te adoro".

Hay personas que a pesar de todos sus esfuerzos no pueden adorar a Dios libremente. Unos sienten una ira tremenda que se apodera de ellos cuando tratan de adorar, otros oyen palabras de maldición.

Grace salía de la iglesia corriendo cada vez que empezaba la adoración; no pudo tomar parte, ni siquiera quedarse en la iglesia, sino después que cerramos las puertas que en su vida habían sido abiertas al reino de las tinieblas.

Cuando alguien no puede adorar a Dios, a pesar de que sus heridas psicológicas han sido llevadas a Dios para sanidad, puede ser un indicio de puertas abiertas en su vida, que tienen que ser cerradas.

Todo lo anterior nos muestra que en cualquier parte del espíritu humano pueden existir puertas abiertas al reino de las tinieblas, las cuales no permiten nuestra sanidad y crecimiento. Así como el espíritu humano se divide en diferentes partes, así también la siquis tiene varias partes, las cuales miraremos en el próximo capítulo.

CAPITULO 4

Puertas abiertas en la siquis

En la segunda área del triángulo humano, la siquis, encontramos aun más partes que pueden tener puertas abiertas al reino de las tinieblas y son el consciente, el subconsciente, el inconsciente, la voluntad, la mente y las emociones. Mirémoslas una por una. Al agregarlas, el triángulo aparece así:

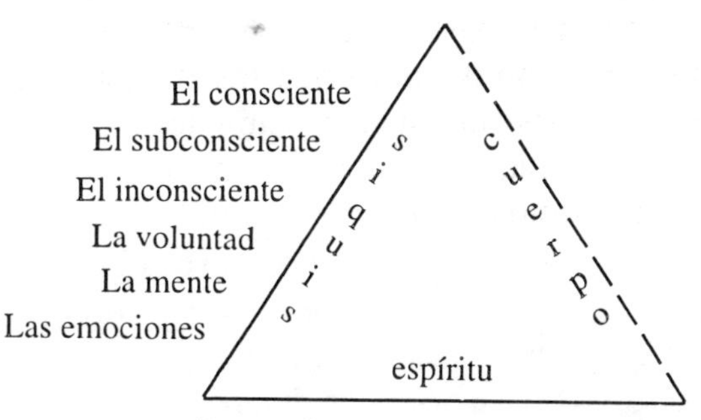

EL CONSCIENTE

Las experiencias de la vida diaria están filtradas por el consciente. En el consciente queda grabado todo lo que vivimos, cómo nos sentimos en cuanto a lo vivido y cómo lo interpretamos. Hay personas que ven la vida negra y desagradable, sin valor alguno; creen que nada bueno les puede ocurrir. Otros, toman la vida ligeramente, tratando de sacar todo lo que pueden de ella y sin importarles a quién pueden hacer sufrir para conseguir lo que quieren.

La mayoría de la gente ve la vida en un punto intermedio entre estos dos extremos, o sea el que ve la vida de una manera tremendista y el que la toma ligeramente. Todo eso, es decir, lo que vivimos, sentimos y cómo lo interpretamos, queda grabado por el consciente y en su momento llega a afectar la manera en que la persona ve la vida; lo cual a su vez llega a convencer más y más a la persona de que la manera en que entiende la vida es la única como puede ser explicada.

EL SUBCONSCIENTE

Todo incidente grabado en el consciente pronto empieza a borrarse de la memoria para dar lugar a nuevas experiencias. Con el paso del tiempo todas las experiencias pasan al subconsciente; el recuerdo de las buenas y las malas, junto con las emociones que las acompañan, entran en esa ciénaga del subconsciente.

La ira retenida, de la cual habla Pablo en Efesios, junto con los traumas y los placeres, también entran en el subconsciente. Unas experiencias son más fáciles de recordar que otras y permanecen en el consciente más tiempo.

Las que causan demasiado dolor duran poco en la memoria, excepto aquellas que extremamos y en las que concentramos nuestra mente continuamente, esas no las podemos olvidar.

EL INCONSCIENTE

En la medida en que nuestras experiencias diarias empiezan a formar parte del pasado, muchas de ellas entran en el inconsciente y no podemos recordarlas. Otras experiencias demasiado dolorosas para recordar, son reprimidas, e inmediatamente entran al inconsciente. Nosotros pensamos que han desaparecido, que las hemos olvidado, que han muerto, pero no es así; aunque no podemos recordarlas todavía viven, y de la profundidad del inconsciente, aquellas "experiencias olvidadas" nos hacen actuar de diferentes maneras, aun en formas que ni nosotros mismos entendemos.

También del inconsciente surgen necesidades y deseos que son normales, buenos y dados por Dios, sin embargo, a causa de la caída de la raza humana, ellos se tornaron exagerados, distorsionados, y desviados de los caminos de Dios, no siendo esto lo que El había planeado para nosotros. Lo que debía servir para hacer bien puede hasta espantarnos, al darnos cuenta de lo que el ser humano puede llegar a ser o hacer en su estado de perdición.

En realidad, si nos sorprendemos de lo que los seres humanos pueden llegar a hacer, es porque aún no hemos entendido cuán bajo ha caído la raza humana. Si me sorprendo de lo que yo hago o puedo llegar a hacer cuando me alejo de Dios, entonces es que todavía no entiendo cuán grande es mi perdición.

Cualquiera de estas áreas de la siquis puede tener puertas abiertas al reino de las tinieblas y si es así, aunque tratemos de cambiar, lo único que lograremos será dar dos pasos para adelante y uno para atrás, o uno para adelante y dos para atrás, sin lograr progreso permanente alguno. Si alguien que ha entregado su vida a Cristo y le ha traído sus heridas para ser sanado y a pesar de todos sus deseos y esfuerzos para cambiar, no nota ningún progreso, puede ser que haya puertas abiertas que necesitan ser cerradas.

LA VOLUNTAD

En la siquis también encontramos la voluntad, que es la que nos da la determinación; sin la voluntad seríamos como veleta llevada por el viento. Hay padres que creen que la voluntad de un niño debe ser quebrantada para enseñarle a ser obediente. Sin embargo, un niño con la voluntad quebrantada es un niño quebrantado y que como adulto, de un lado, no podrá tomar decisiones firmes o de otro lado, podrá convertirse en alguien demasiado rígido. La voluntad de un niño tiene que supeditarse a la obediencia, por el vivir y la enseñanza constante y también por reforzar con amabilidad los principios detrás de las reglas que establecemos. Esto enseña al niño a ser firme y constante y a la vez a ser flexible y comprensivo.

Hay personas que tienen una voluntad muy débil; deciden hacer algo en un momento de inspiración, pero tan pronto pasa ese momento, se les olvida lo que han decidido y vuelven a lo anterior. Pueden arrepentirse y decidir cambiar vez tras vez, pero todo sin ningún provecho. En cambio, hay otras tan atadas que ni siquiera "pueden querer" tomar la decisión de cambiar. En estos casos es necesario atar al enemigo y desatar la voluntad para que así sea suficientemente libre para que "pueda querer" tomar la decisión de cambiar. Cristo dijo que lo que nosotros atamos en la tierra será atado en el cielo y lo que desatamos en la tierra será desatado en el cielo (Mateo 16:19).

En otras personas la voluntad puede ser muy restringida y rígida. El padre de Julio decidió pegarle sesenta veces, y nadie pudo hacerle cambiar su idea de "educar" a su hijo de esta manera. Escuchamos a padres decir frases como: "Si yo digo que es así, así es" o "¡Lo vas a hacer porque lo dije, yo soy tú mamá!" Esto es obvio que no da lugar al diálogo. Los niños pueden llegar a obedecer de esta manera, pero no han aprendido ningún principio detrás de la regla para guiarlos. Lo único que han aprendido es que las mamás y los papás pueden hacer lo que quieren, y anhelan ser grandes para convertirse en mamás o papás para así ellos también poder hacer lo que se les de la gana.

En las iglesias, ciertos administradores o aun pastores o misioneros pueden tener cierta actitud acerca de que "una regla es una regla, y hay que obedecer pase lo que pase". Uno puede casi sentir, bien adentro de la persona, una concha dura e inflexible que no le permite cambiar. Tal persona puede arrepentirse vez tras vez por su dureza, y luego volver a repetir lo mismo en muchas ocasiones. Ello indica que hay puertas que necesitan ser cerradas.

LA MENTE

Otra área de la siquis es la mente, la cual puede dividirse a su vez en tres partes: donde encontramos nuestras expectativas, sueños e imaginaciones, los pensamientos y el lenguaje. Estas partes contribuyen grandemente en la manera en que vivimos la vida.

LAS EXPECTATIVAS

Lo que esperamos, imaginamos o anhelamos indica la manera en que hacemos planes y vivimos la vida. Existen aquellos que siempre esperan que algo malo les ocurra; es tan fuerte, que parece que invitaran a lo malo a que les sobreviniera. Aunque tienen buenas experiencias, si algo desagradable les ocurre así fuese lo más mínimo, esto es lo que recuerdan y todo lo bueno se les olvida. Su manera de hablar acerca de algo bueno es: "Pues sí, eso tal vez era bueno, pero..."

Cuando yo era niña, el dueño de un almacén grande en nuestra región, ganó unos viajes al exterior por ser el mejor vendedor de su compañía y pudo viajar junto con su esposa a varios países. Casi no podía yo esperar el momento que volvieran para escuchar todo lo bueno que habían hecho y visto. Lo extraño fue que parecía que los viajes no les habían gustado. Volvieron con montones de diapositivas, pero sin gozo. En un viaje, el hotel estaba sucio, en el próximo llovía, en otro todo era demasiado primitivo. "¿Cómo pudo la compañía enviarnos a tales sitios?", dijeron. Nada parecía haberles satisfecho.

Las expectativas, a otros les hace pensar: "Ay, yo mejor no hablo con esa gente, no les caigo bien". Y precisamente, la persona encuentra algo que le demuestra que no les cayó bien. Interpretamos lo que vemos, oímos o vivimos, así como también lo que esperamos.

La primera vez que Gladys vino a consejería le saludé en la puerta y le invité a que entrara y se sentara. Tan pronto se sentó, me miró y me dijo: "Arline, yo puedo ver que no te caigo bien". Ella lo "sabía", ¡aun antes de que yo siquiera pudiera abrir mi boca! Su expectativa antes de venir era que no me caería bien y tan pronto me miró, ella confirmó lo que suponía. En realidad, ella esperaba caerle mal a todo el mundo.

En cambio existen otros que no saben tomar precauciones. Creen que de una manera u otra, todo va a salir bien y no toman precauciones o no hacen planes claros y. cuando algún familiar paciente o un amigo les saca otra vez del apuro, ellos ya sabían que "todo iba a salir bien".

Necesitamos a Dios para mantenernos equilibrados. Por eso, si aún después de traer los traumas sicológicos para sanidad, no hay cambios en la persona, esto puede ser una indicación de puertas abiertas al reino de las tinieblas.

LOS PENSAMIENTOS

Casi siempre es en la parte de los pensamientos donde la más aguda batalla se lleva a cabo para lograr nuestra sanidad.

La Biblia dice: "Porque cual es el pensamiento en su corazón, tal es él" (Proverbios 23:7). Pablo escribe a la iglesia en Corinto referente a nuestra batalla espiritual:

Pues aunque andamos en la carne, no militamos según la carne; porque las armas de muestra milicia no son carnales, sino poderosas en Dios para la destrucción de fortalezas, derribando argumentos y toda altivez que se levanta contra el conocimiento de Dios, y llevando cautivo todo pensamiento a la obediencia a Cristo.

(2 Corintios 10:3-5)

Según eso, no podemos permitir a nuestros pensamientos correr por donde quieran, tenemos que llevarlos cautivos a la obediencia de Cristo. Muchas veces, ni siquiera nos damos cuenta de lo que pensamos, pensamos continuamente, pensamos acerca de nosotros mismos, acerca de otros y acerca de Dios. Mantenemos conversaciones enteras en nuestra mente, lo cual puede ser positivo si esas conversaciones son buenas. Por el contrario, las conversaciones negativas nos conducen a la derrota. En Filipenses 4:8 dice:

Por lo demás hermanos, todo lo que es verdadero, todo lo honesto, todo lo justo, todo lo puro, todo lo amable, todo lo que es de buen nombre, si hay virtud alguna, si algo digno de alabanza en esto pensad.

Eso es en lo que Dios quiere que pensemos. Los pensamientos que no caben en Filipenses 4:8, corresponden a 2 Corintios 10:5 y tienen que ser llevados cautivos a la obediencia de Cristo. Eso no quiere decir que debemos ignorar situaciones negativas, pero sí, que debemos tratar con ellas, entregarlas a Cristo y activa y decididamente buscar lo bueno de la situación y llenar la mente con estos pensamientos. Dios sabe qué es lo que nos trae salud emocional y por ello nos lo dice en su Palabra.

El área de los pensamientos es una de las más difíciles de controlar. Con mucha frecuencia hay puertas abiertas al reino de las tinieblas en esta área, y ello da lugar a pensamientos contaminados de tinieblas.

EL LENGUAJE

Nuestras palabras siguen a nuestros pensamientos. La mayoría de nosotros hablamos sin pensar qué es lo que las palabras realmente quieren decir. Cómo nos espantaríamos si esas mismas palabras fueran dirigidas a nosotros en la misma manera en que las dirigimos a otros. Raras veces nos detenemos a pensar cómo quisiéramos que la otra persona nos dijera lo que le estamos diciendo a ella. En Santiago 3:6,8 dice:

> *La lengua es un fuego, un mundo de maldad. La lengua está puesta entre nuestros miembros, y contamina todo el cuerpo, e inflama la rueda de la creación, y ella misma es inflamada por el infierno ... ningún hombre puede domar la lengua.*

Palabras feas y chistes sucios pueden llegar a ser una parte tan arraigada al vocabulario de alguien que sólo con esfuerzos muy grandes pueden ser sacados del lenguaje. Armar chismes puede arraigarse a tal grado en nuestro lenguaje, que cuando lo hacemos ni siquiera nos damos cuenta que estamos haciéndolo. Aun "decir la verdad" puede usarse para dañar a otros y exaltarse uno mismo. Una anciana bastante chismosa que había herido a muchas personas con las cosas que decía de ellas, me dijo: "Sí, yo sé que hablo mucho, pero siempre me cuido de nunca decir algo que no sea la verdad". Pero lo que la Biblia nos dice es que tenemos que decir la verdad con amor. Decir la verdad en un tono fuerte o con mala intención puede cambiar la verdad en mentira y ser usada para "matar" a la gente, despojándoles de su honra.

Cuando la enseñanza y el tratar de romper hábitos al hablar no cambian estos hábitos, probablemente estamos enfrentando puertas abiertas al reino de las tinieblas.

LAS EMOCIONES

La última parte que veremos de la siquis, es la de las emociones. Las emociones pueden correr desde la tristeza más profunda hasta el gozo glorioso y, desde el amor más sobresaliente hasta la obscuridad total del odio y los celos. Sin embargo, como los siguientes ejemplos lo demuestran, hay personas que no pueden sentir una completa gama de sus emociones.

Wanda, el ejemplo del capítulo pasado, no podía sentir emociones negativas. Cuando le pregunté la primera vez a dónde habían ido estas emociones, no pudo contestarme. En la medida en que Dios le fue mostrando, Wanda descubrió en su interior lo que ella llamaba "un jardín entero".

"Yo eché todas mis emociones negativas por la ventana al jardín. Ahora todo ese jardín está lleno y enredado de maleza. Yo ni siquiera sabía que existía tal lugar".

MAYARD

De niño, Mayard fue física y sicológicamente maltratado por su madre, la vida del pobre niño era una pesadilla continua de golpes y regaños. Un día la madre encendió su estufa de gas, metió la cabeza al horno y dijo al niño de 8 años que iba a matarse y todo sería culpa de él. Mayard había sido recluido en hospitales mentales y clínicos catorce veces cuando llegó para consejería. Ya había aceptado a Cristo como su Salvador, pero no encontraba paz.

Durante las primeras cuatro sesiones, Mayard no hizo nada más que sentarse en mi oficina y llorar durante toda la hora. A la siguiente semana, le invité a que se reuniera conmigo y otras personas que sabían orar con poder y tendríamos un tiempo de oración especial por él. Todos juntos clamamos a Dios por su liberación. El día siguiente, Mayard me llamó con la noticia de que estaba lleno de "un gozo increíble" y no sabía qué debía hacer con ello.

Durante seis meses, Mayard se sintió como si estuviera viviendo en nubes de gozo. ¡Estaba intoxicado de gozo! Lentamente, después de estos seis meses, sus pies empezaron a "tocar tierra" otra vez y a sentir la gama normal de emociones de gozo y tristeza. Como las únicas emociones que él conocía antes de su ola de gozo eran negativas, Mayard no podía entender las fluctuaciones de sus emociones, y sólo quería estar muy gozoso todo el tiempo.

Lentamente Mayard llegó a rechazar el gozo y la alegría, y hasta llegó a sospechar de todas las cosas buenas, porque pensaba que tarde o temprano todas tendrían un final y otra vez la tristeza volvería. Aunque él realmente sintió un toque de Dios, era evidente que teníamos que cerrar las puertas al reino de las tinieblas para que así quedara libre y aprendiera a vivir con toda la gama de sus emociones.

EDWIN

A veces, en un momento de angustia, hay personas que prometen nunca volver a sentir alguna emoción y hacen estas promesas para evitar el dolor de ser rechazados.

Edwin estaba desesperado, acababa de terminar su noviazgo con la chica que le amaba. "Sé que ella me ama, pero yo sencillamente no puedo amarla ni sentir su amor. Es la tercera vez que esto me pasa. ¡Quisiera amarla tanto! Me siento tan solo y quiero su amor. ¿Por qué no puedo sentir nada?"

El padre de Edwin tenía un empleo de responsabilidad en unos edificios de apartamentos donde la familia vivía cuando Edwin era niño. El quería que sus hijos fueran ejemplos de buen comportamiento para los vecinos, y cada error le traía a Edwin toda la carga del enojo y castigo de él. Edwin odiaba a su padre pero amaba a su madre.

Desde los once años, Edwin se sentía muy solo pero rechazaba ser amado. A los catorce años, después de leer un libro, solo en su cuarto entregó su vida a Cristo y le aceptó como su Salvador. Estaba muy contento con esta nueva relación y le contaba libremente a su madre acerca de su nuevo amigo, Jesús. Como ella no había experimentado esta relación, le dijo a Edwin, que usaba su "religión" como muleta social para ayudarse con sus problemas. Poco a poco, Edwin volvió a su soledad y ahora odiaba a su mamá por ponerlo en contra de su nuevo amigo.

Edwin sentía el odio hirviendo en su interior. Empezó a usar drogas y entró en un nuevo mundo de oscuridad, algo de lo cual él nunca había sabido. Dos años antes de venir a consejería, dejó las drogas y rededicó su vida a Dios; pero el odio hirviendo dentro de sí no disminuía. Lo único que pudo hacer, fue construir un muro alrededor de ese odio para no dejarlo salir y así era como a veces se sentía poseído por algo maligno.

En su iglesia, creyentes comprometidos, habían orado por él, echando fuera muchos demonios pero a pesar de eso, no podía sentir amor.

"Edwin", le pregunté, "¿sería posible que tú hubieras hecho un voto de alguna índole?"

"¿Un voto?", preguntó. "No, yo no he hecho votos de ninguna clase".

"Quiero decir, ¿un día te dijiste a ti mismo que jamás volverías a amar o recibir amor de alguien?"

"!Oh, esto!", exclamó. "Sí, cuando tenía once años dije que nunca iba a permitir que alguien me amara y tampoco amaría o confiaría en alguien".

"¿Ya has renunciado a este voto?"

"No", contestó, "no pensé que fuera necesario".

Juntos renunciamos al voto que Edwin había hecho y desaté en él la capacidad de amar, de recibir amor y de confiar, así como Cristo lo había hecho cuando estuvo en la tierra.

Cuando Edwin regresó la siguiente semana, aún no podía sentir amor, pero sí notaba que ya no echaba a la gente a un lado como antes; ahora les prestaba más atención a los demás y también a lo que decían. Ese mismo día hicimos una lista muy larga de todas las películas y libros relacionados con hechicería u horror, las artes marciales y las reliquias de Nazi heredados de su padre con las que había llenado su vida; renunció a todo eso en el nombre de Cristo y cerramos las puertas abiertas al reino de las tinieblas. Poco a poco las emociones de Edwin empezaron a funcionar otra vez.

Como cristianos muchas veces hemos sido enseñados a ignorar o reprimir nuestras emociones. Unos creen que debemos estar siempre alegres, gozosos y cantando o de lo contrario es un indicativo de que tenemos pecado en la vida. Al otro extremo, están los que enseñan que cuando creemos en Cristo como Salvador debemos ignorar lo que sentimos porque es la fe y no las emociones, lo que verdaderamente importa. Ambos extremos tienen parte de la verdad: es por la fe en Jesucristo y no por nuestras emociones, que somos salvos. Sin embargo, si no hay ningún gozo en nuestras vidas, significa que algo no está marchando bien, pero también es cierto que si no podemos sentir tristeza, es porque hay algo que tampoco está marchando bien.

Cristo experimentó toda la gama de sus emociones. El fue varón de dolores y experimentado en quebranto (Isaías 53:3); aprendió la obediencia por lo que sufrió, rogando y suplicando con gran clamor y lágrimas (Hebreos 5:7-8), pero también fue alguien que se regocijó (Lucas 10:21). A la vez, tuvo compasión cuando vio la multitud que venía hacia El (Mateo 14:14), y no se avergonzó de llorar con María y Marta (Juan 11:35). Jesús se deleitaba en la naturaleza, y con frecuencia se refirió a ella para enseñar a sus discípulos y a la multitud (Mateo 6:28-29). El amó al joven rico (Marcos 10:21); se indignó cuando sus discípulos no permitieron a los niños venir a El (Marcos 10:14); se enojó y se entristeció al ver la dureza de los fariseos (Marcos 3:5); y se angustió cuando pensó en su sufrimiento venidero (Lucas 12:50). Cristo fue alguien que sintió la gama completa de sus emociones. Cuando hay gente que, aun después de traer sus traumas a Cristo para ser sanados, no puede sentir ciertas emociones como las que Cristo sintió, probablemente es un indicio de que en ellos existen puertas abiertas al reino de las tinieblas y tienen que cerrarse. Así como podemos tener puertas abiertas en el espíritu y en la siquis, también podemos encontrar las en el cuerpo. En el próximo capítulo nos referiremos a esta área en el triángulo humano.

CAPITULO 5

Puertas abiertas en el cuerpo

El cuerpo es otra área del triángulo humano que puede tener puertas abiertas o puntos débiles a la acción del reino de las tinieblas. En el cuerpo encontramos el cerebro, el resto del cuerpo con los cinco sentidos, y la vida sexual. Si agregamos estas partes al triángulo, aparecerá así:

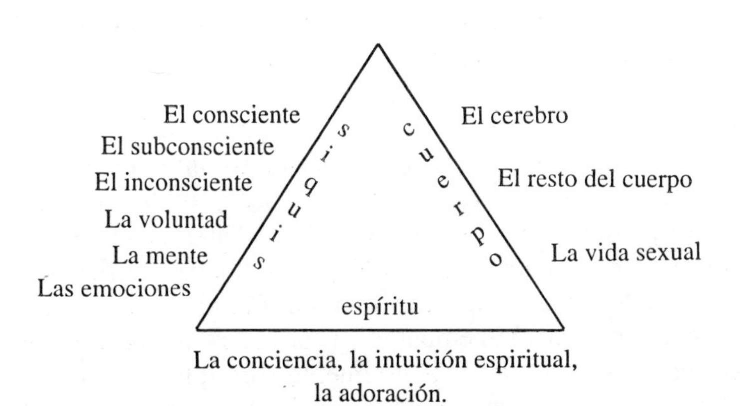

EL CEREBRO

Todo lo que experimentamos es registrado en el cerebro. A medida que vamos pensando y actuando, pequeños impulsos de electricidad pasan por entre las células del cerebro y forman senderos que funcionan como si fueran alambres por los cuales corren dichos impulsos eléctricos; así es como cada nueva experiencia produce nuevos senderos. Mientras más frecuentemente se repite una experiencia en nuestras vidas, más firmemente queda establecida en el sendero. Esta es la forma como aprendemos.

Todas nuestras experiencias son acompañadas de emociones, y ambas quedan grabadas en el cerebro; aun nuestras reacciones a estas emociones y experiencias quedan grabadas. Todas éstas forman y arraigan los senderos entre las células. Por tanto, todo lo que vivimos queda grabado en el cerebro, y todo lo que abra puertas al reino de las tinieblas en el espíritu y en la siquis, también las abre en el cerebro.

El uso de drogas afecta mucho las células cerebrales; ciertas drogas son tan fuertes que se puede decir que su uso las "fríe" y las destruye, y otras células tienen que ser "reentrenadas" para que cumplan su función. Si la destrucción es demasiado grande la persona sufre daños permanentes.

Así es, que nuestra manera de pensar puede ser distorsionada en el mismo cerebro y una nueva manera de pensar, sólo se puede lograr formando nuevos senderos. Al principio esto requiere una disciplina constante para que los pensamientos no corran a través de los senderos antiguos y bien conocidos, sino que formen nuevos senderos y con ello nuevos patrones de pensamientos. Si constantemente insistimos en "tener buenos pensamientos", nuevas formas de pensar se formarán y llegarán a ser tan cómodas y familiares como las antiguas. Sin embargo, si con todos los esfuerzos y concentración para tener pensamientos disciplinados, no se producen cambios permanentes, puede ser que existen en el cerebro puertas abiertas al reino de las tinieblas que tienen que cerrarse.

EL RESTO DEL CUERPO

Podemos decir que los cinco sentidos son como portones de entrada al cuerpo. La música despierta recuerdos, así como otros sonidos, sabores, olores, y lo que vemos y tocamos. Todas estas sensaciones quedan grabadas en el cerebro, pero las experimentamos a través del cuerpo. La dependencia del alcohol o las drogas pueden cegar a alguien a tal grado, que ni aun con todos sus mejores esfuerzos pueden romper el hábito. El vicio de jugar naipes puede derrumbar las mejores intenciones y llevar aun al más rico a la ruina. Joseph es un ejemplo del impacto que la música puede tener en la vida de alguien.

JOSEPH

Joseph era músico y quería usar su don para la gloria de Dios. Antes de entregar su vida a Cristo, él había organizado una banda de rock que había empezado a hacerlo popular; ésta había sido su meta desde que los Beatles llegaron a ser sus héroes, cuando apenas tenía seis años. A pesar de su crianza cristiana, poco a poco había caído en el vicio de las drogas y el sexo desenfrenado que acompañaba el ambiente musical.

Un día, Joseph oyó nuevamente el evangelio y rededicó su vida a Cristo. En un momento, su vida cambió milagrosamente: todo el deseo por las drogas, el alcohol y el cigarrillo desaparecieron. Entonces decidió usar su don musical solamente para Dios. Sin embargo, cuando Joseph dirigía el culto de alabanza en su iglesia, no sentía el mismo placer intoxicante que cuando lo hacía en su viejo ambiente de música rock, él sentía que le faltaban los aplausos frenéticos de la gente. Dirigía cultos de alabanza pero sentía que no había la más mínima alabanza para él, y además los grupos de rock cristianos donde tocaba no le daban la popularidad que buscaba; así empezó a sentir celos de Dios por toda la atención que El sí recibía.

Joseph en la búsqueda de algo que atrajera la atención de los jóvenes y que al mismo tiempo glorificara a Dios, encontró la música "heavy metal" (rock pesado), que era el ritmo de moda, y decidió usar este ritmo con nuevas letras que glorificaran a Dios y que él mismo escribió. Compró libros que enseñaban estos ritmos y ensayó con diligencia.

De pronto a Joseph le empezó a molestar el pensamiento de hacer un contrato con Satanás que le asegurara éxito y popularidad. Joseph se sintió horrorizado, y no era para menos, porque él quería que su vida glorificara a Dios y no podía entender de dónde le venían estos pensamientos. Poco a poco se dio cuenta que cada vez que ensayaba esa clase de música, los pensamientos le venían con más fuerza e insistencia.

Tratando de luchar contra estos pensamientos, cada vez que Joseph ensayaba, dedicaba los ritmos a Dios, pero en vista que los pensamientos persistían, decidió no volver a tocar esa música y volver a la música de alabanza que inicialmente había tocado. Lo extraño era que aun cuando trataba de tocar esta música de alabanza, los malos pensamientos continuaban metiéndose en su mente. La situación se volvió tan irresistible para Joseph que finalmente dejó de tocar toda clase de música.

Pero aun así, los pensamientos no le dejaron, ahora le venían sin necesidad de música, y junto con ellos venían pensamientos de odio hacia su iglesia y hasta de matar. Joseph trataba de quitarlos de su mente tan pronto entraban, reprendiéndolos en el nombre de Cristo, pero sólo desaparecían por unos momentos, para volver luego con más fuerza. Cuando no pudo resistir más los impulsos de matar a su hermana a quien amaba, Joseph ingresó en una clínica psiquiátrica donde le suministraron medicamentos para que dejara de pensar y pudiera descansar.

Aunque él había entregado su vida a Cristo, y había sido sanado de sus adicciones, Joseph nunca había cerrado las muchas puertas que habían permanecido abiertas al reino de las tinieblas; nunca había renunciado a sus sueños de enaltecimiento, por eso era que dirigir a la gente en alabanza a Dios no le satisfacía su sed de recibir gloria. Los ritmos de "heavy metal" y las prácticas satánicas con las cuales muchas veces ellos están relacionados fueron apenas el toque final que abrió las puertas al control de su mente.

Después de salir de la clínica, Joseph vino para consejería. Fue solamente después de una batalla larga y dura a través de la cual renunció a toda la música que no glorificaba a Dios, empezando desde sus experiencias más tempranas con los Beatles, y a todo deseo de buscar su propio engrandecimiento, que Joseph al fin llegó a ser libre.

No solamente puede el cuerpo llegar a permitir que puertas sean abiertas al reino de las tinieblas a través de los sentidos, como en la vida de Joseph, sino el cuerpo mismo puede llegar a ser el objeto mismo de maltrato como resultado de tener puertas abiertas. El hombre de Gadara, que estaba poseído de un demonio, se hería con piedras (Marcos 5:5). La historia de Clara nos muestra a otra persona cuyo cuerpo llegó a ser objeto de maltrato.

CLARA

Durante muchos años, Clara vivió con un tormento que sólo ella conocía, siempre tenía que usar mangas largas para esconder sus brazos cubiertos de cicatrices, heridas y quemaduras. Tres años antes de venir a consejería, ella había entregado su vida a Cristo confiando que por fin su pesadilla terminaría. Aunque amaba al Señor y quería servirle con su vida, una presión interior, irresistible, de mutilar su cuerpo todavía permanecía.

Después de cada episodio, Clara rogaba a Dios que la perdonara y le prometía no volver a hacerlo más. Pasaba unas semanas en paz, pero entonces, poco a poco, la presión empezaba a aparecer de nuevo. Los pensamientos de detestarse y odiarse, crecían y crecían hasta que no podía resistir más y entonces cogía una cuchara, la metía en la llama de la estufa hasta que estaba casi roja y la colocaba sobre su brazo. El dolor era inaguantable, pero el alivio de la presión interior casi lo hacía agradable.

Al darse cuenta de lo que había hecho de nuevo, Clara se horrorizaba y a la vez se llenaba de tristeza y remordimiento. Entonces, quebrantada, pedía a Dios que la perdonara y le prometía que nunca lo volvería a hacer.

Cuando Clara me contó del abuso físico y sexual que había sufrido de niña, le sugerí que le pidiéramos a Cristo que nos acompañara a las escenas de su infancia donde había sido maltratada, que enrolláramos todo y lo echáramos en un saco espiritual y lo entregáramos a El para que lo llevara en la cruz.

"No servirá", dijo Clara.

"¿Por qué no servirá?", le pregunté.

"Porque una de tus alumnas ya trató de hacerlo y nada permanece en el saco. Cada vez que vuelvo a mirar en el cuarto allí está todo igual que antes".

"Hagámoslo otra vez y veremos que pasa", le dije.

Pedimos que Cristo entrara en la memoria del abuso de la niñez de Clara. Ella le llevó a la puerta de la pieza donde ocurrió todo, enrollamos la escena completa y la echamos en el saco de Cristo, mirando como El lo llevaba en la cruz. Le pedimos que le colocara en el cuarto algo especial que Clara pudiera recordar en reemplazo de las escenas de maltrato.

"Ahora, mira el cuarto y ve lo que Cristo coloca allí", le dije.

"Todo está igual que antes, toda la escena ha vuelto a retornar", exclamó Clara.

"Muy bien", le dije. "Entonces, vamos a atar y echar fuera a aquel que no permite que esta escena desaparezca".

"En el nombre de Jesús de Nazaret", oré, poniendo mi mano suavemente sobre su cabeza, "ato a quien no permite que esta escena desaparezca. Ato la automutilación, y cualquier otro demonio que le acompañe, en el nombre de Jesús de Nazaret; le echo fuera a las tinieblas (Mateo 8:12), y les cierro la puerta para que no vuelvan a entrar nunca más. Cristo, entra y toma control de esta parte de la vida de Clara. Cubre esta puerta con tu sangre, y séllala con tu mano.

"Señor Jesucristo", dije, ayudando a Clara a orar, "delante del mundo visible e invisible, yo declaro que te entrego a ti, cada parte de mi vida que ha sido afectada por esta escena. Te declaro a ti, Señor Jesucristo, rey de cada una de esas partes. Entra y toma tu trono, muéstrame qué debo pensar, decir, sentir, ser o hacer, y por tu gracia lo haré; dime también lo que no debo pensar, decir, sentir, ser o hacer, y por tu gracia no lo haré.

"Jesucristo", oré, "con base en esta declaración te pido que tú entres a todas las partes de Clara que han sido afectadas por aquellas experiencias que le hicieron tanto daño, y, desde el momento de su concepción hasta este mismo momento, perdona lo que necesita ser perdonado, lava y limpia lo que necesita ser limpiado, y sana lo que necesita ser sanado. Desato en ella la libertad para amarse a sí misma, libertad para reconocer que el pasado es realmente pasado, y libertad para ser la persona que tú quisiste que ella fuera cuando originalmente planeaste su vida. Gracias, Señor Dios mío, por lo que ya estás haciendo en Clara".

"¡Oh!", exclamaba Clara al terminar la oración, "¡me siento tan diferente!"

"Ahora mira en ese cuarto y ve qué hay allá", dije a Clara. "¿Aún permanece en él la escena de tu maltrato?"

"¡No, ya no! Todo se ha ido", gritaba Clara. "Cristo está allí conmigo".

"¿Te sientes feliz ahora?"

"Sí, y me siento protegida. Cristo está cuidándome".

Clara volvió unas cuantas veces más para cerrar las puertas en las otras áreas que aún quedaban, pero nunca más volvió a sentir esa presión de mutilarse ¡Clara era libre!

LA VIDA SEXUAL

La última área del cuerpo es el área de la vida sexual. La sexualidad es una parte muy importante de nuestra vida incluyendo el concepto que tengamos de nosotros mismos como hombre o mujer, nuestra relación con el sexo opuesto, el papel que representamos en la sociedad y nuestra relación en el matrimonio y con nuestros hijos.

Conceptos equivocados en cuanto al sexo pueden pasar de generación en generación en tal forma que pueden hacer creer que lo único que todo hombre quiere, es el cuerpo de la mujer, o hacer ver a las mujeres como meros objetos para conquistar, o también pueden llegar en forma de frialdad o promiscuidad

El abuso sexual también pasa de generación en generación. ¡Cuántas niñas han sido abusadas por sus propios padres, hermanos, padrastros, abuelos, tíos, o aun pastores y ancianos de la iglesia: precisamente la gente en quien debían confiar. ¡Cuántos jovencitos han sido seducidos en un acto de homosexualidad por los mismos hombres en quienes debían confiar! A cuántos niños y jóvenes les han sido enseñados actitudes erróneas por sus propios padres.

Nunca olvidaré una familia que recientemente había aceptado a Cristo como su Salvador y la madre que deseaba lo mejor para sus hijos en su nueva vida, me abordó con una petición.

"Hermana Arline", me dijo, "nosotros estamos muy preocupados respecto al desarrollo moral de nuestro hijo que tiene quince años: no queremos que se meta con una prostituta y aprenda toda clase de malas ideas".

Desde luego, yo estuve de acuerdo con ella y valorando su preocupación le pedí que me dijera en qué la podía servir.

"Usted que conoce tanta gente de los barrios pobres de la ciudad", continuó, "¿no conoce alguna jovencita, que sea sana y con quien pudiera mi hijo aprender y tener sus experiencias sexuales? Así él no tendrá la tentación de entrar a esos lugares terribles".

Sin lugar a dudas, esta familia necesitaba verdadera enseñanza. A cuántos niños literalmente se les enseña a andar en caminos de maldad. Para otros, como Mercedes por ejemplo, toda la vida ha sido como vivir a orillas del infierno.

MERCEDES

Mercedes tuvo una niñez muy difícil. Vez tras vez, cuando tenía siete años fue abusada sexualmente por su hermano. Luego tuvo tres hijos de un tío, y después dos más producto de otros abusos. Sus padres y todos sus hermanos y hermanas vivían juntos bajo el mismo techo, cada cual con su amante, los que cambiaban continuamente por otros. Muchos de los niños ni siquiera sabían quién era su padre. Cuando Mercedes se entregó a Cristo su vida cambió drásticamente en muchas áreas. Sin embargo, aunque luchaba en contra de sus impulsos sexuales, vez tras vez se encontraba andando en sus viejos caminos.

"Hermana Arline", sollozaba un domingo después del culto. "Tengo que hablar con usted".

"¿Qué pasa, Mercedes?", le pregunté suavemente. "¿Pasó otra vez?"

"Sí", ella asentía con la cabeza, raspando el piso con la punta del zapato. "No sé qué me pasa, no quiero seguir viviendo de esta manera".

"Mercedes, ¿dime exactamente qué es lo que tú sientes antes que eso suceda?"

Pensó por un tiempo y entonces contestó lentamente: "En la mitad de cada mes, algo me pasa. Quiero salir corriendo y coger al primer hombre que encuentre. ¡Pierdo todo control!"

"¿Sientes que hay algo dentro de ti que te hace correr?"

"Sí. Eso es exactamente lo que siento; todas mis mejores intenciones se desvanecen. Unos días más tarde, cuando me doy cuenta, ya lo he hecho de nuevo".

"Dime, Mercedes", le pregunté, "¿alguien ha orado contigo para cerrar las puertas que en tu vida fueron abiertas al reino de las tinieblas, producto de la vida que viviste antes?"

"No. Nadie me dijo que fuera necesario".

Después de explicarle acerca de las puertas que se pueden abrir por vivir una vida de pecado, atamos y echamos fuera la promiscuidad, en el nombre de Jesús de Nazaret. Cerramos la puertas que fueron abiertas a través de sus propias experiencias y todas las puertas abiertas que le vinieron de generación en generación.

Unos meses después le pregunté a Mercedes acerca de su progreso. "¿Quiere saber algo?", contestó gozosa. "No he sentido ese deseo desde aquel día que oramos, sé que algo salió de mí en aquella ocasión". Ahora Mercedes podía vivir una vida cambiada como ella había querido.

Cada parte del triángulo humano que hemos visto (el cuerpo, la siquis, y el espíritu), representa áreas *dentro* de nosotros que pueden tener puntos débiles o puertas abiertas al reino de las tinieblas. Sin embargo, no sólo somos individuos, sino también seres humanos creados por Dios para vivir en grupos de personas y a menos que vivamos como ermitaños, solos en una montaña o en un desierto, estamos relacionados con familias, amigos, iglesias y otros grupos, somos seres sociales. Desde dentro de nuestros triángulos humanos, nos interrelacionamos con los demás, que a su vez también viven dentro de sus propios triángulos. La manera como nos relacionamos los unos con los otros en el área social también puede tener puntos débiles o puertas abiertas al reino de las tinieblas, a través de los cuales Satanás puede tentarnos y controlarnos. Eso nos lleva a reflexionar en nuestra vida social, la cual examinaremos en el próximo capítulo.

CAPITULO 6

Puertas abiertas en la vida social

Es a través de nuestra vida social que nos relacionamos con los demás. Los seres humanos somos seres sociables que nos necesitamos mutuamente, siendo Dios quien nos creó de esta manera.

Las áreas que forman nuestra vida social incluyen las relaciones en la familia en la cual hemos sido criados (familia de origen), en la familia propia (familia establecida cuando decidimos casarnos y formar un nuevo hogar), en la iglesia, con amigos, en el trabajo y en los estudios, la condición económica y nuestra identidad nacional, racial y social.

Podemos decir que en cualquiera de estas áreas pueden existir puntos débiles o puertas abiertas al reino de las tinieblas.

Al agregar estas áreas alrededor del triángulo humano, el cuadro queda completo:

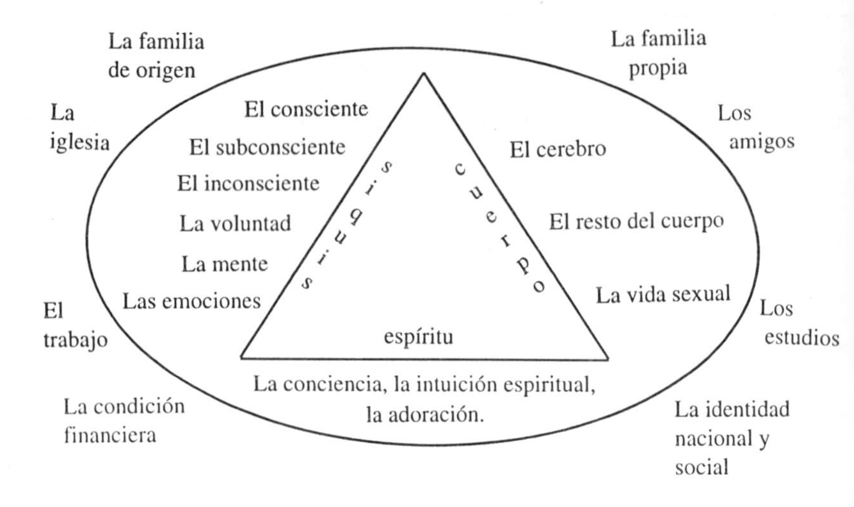

En estos dos capítulos miraremos las áreas que forman parte de nuestra vida social y algunas experiencias que pueden abrir puertas al reino de las tinieblas.

LA FAMILIA DE ORIGEN

La familia de origen incluye el padre, la madre, los hermanos, y si los abuelos y los tíos forman parte de la familia también deben ser incluidos, porque ellos influyen en forma directa en la vida del niño.

El niño nace como un bebé incapaz de protegerse y defenderse por sí mismo, y son los padres quienes están llamados a traer experiencias de gozo a su vida y defenderlo de aquello que le pueda causar dolor. No hay un sólo ser humano que pueda ser un padre perfecto o ideal, o que haga todo correcto, porque siendo todos nosotros miembros de una raza caída, nadie puede llegar a alcanzar la meta de ser los padres perfectos que se han propuesto.

Todo padre y madre lleva consigo los gozos y dolores de sus propias experiencias, y ellas influyen en la forma como se relaciona con sus hijos. Todo niño sufre traumas en algún momento de su vida, y la alternativa que tienen los padres es ser sensibles a sus dolores y aceptar al niño con lo que sienta y cómo lo expresa, animándole a hablar acerca de sus sentimientos y experiencias hasta que la herida sea sanada, o de lo contrario, en el futuro cuando este niño sea un adulto, tendrá heridas sicológicas que permanecerán sin sanar. En muchas familias estas heridas sicológicas o no han sido descubiertas, o no se le ha permitido al niño expresar, a su manera, el dolor que el trauma le ocacionó, con frases tales como: "Y no vayas a llorar otra vez" o "eso no fue nada, ya pasó". A veces los padres pueden sentir que algo no marcha bien en el niño, pero no pueden saber cuál es la causa del trauma. Quizás el niño no posee el vocabulario necesario para contar lo que le pasó, o en otros casos, los padres pueden haber sido precisamente las personas que causaron la herida, y el niño no tiene a quién recurrir para expresar sus temores y dolores. En la misma proporción y en las áreas en que las heridas son causadas en el hogar o no han sido descubiertas o sanadas, el hogar es lo que en sicología se define como "disfuncional", porque no es el lugar afectuoso, donde hay libertad para hablar, y sanador que Dios quiso que fuera. Casos de hogares disfuncionales son los que veremos más adelante en este capítulo.

Toda clase de maltrato en el hogar, tiene efectos duraderos en el niño y aunque el niño mismo quizás no haya sido maltratado, si ha oído o visto el maltrato físico o verbal del cual ha sido objeto la madre, el padre u otro miembro de la familia, ello traerá al niño las señales del maltrato y, sin duda, se culpará a sí mismo de lo que pasó. Piensa que, si hubiera sido un niño mejor, el papá o la mamá no se habrían comportado así o no hubieran tenido que sufrir por todo lo ocurrido.

Si estas experiencias se repiten, los niños se acostumbran a ellas, y este comportamiento llega a ser el modelo básico de su propio comportamiento. Luego, al llegar a adultos, no tienen otras experiencias que puedan usar como patrones para su vida y por eso, se sentirán cómodos y en familia, relacionándose con otras personas que tengan el mismo comportamiento y hasta les parecerá que son personas que les estimulan y agradan. Es por esta razón que llegan a escoger cónyuges con las mismas dificultades, y así pasan los traumas que ellos vivieron a la siguiente generación.

Por esto es común ver a personas que han sido maltratadas cuando niños, escogiendo cónyuges que continúan el maltrato sin ni siquiera tratar de escapar de la situación, aunque eso sí, lamentan amargamente su situación. La persona que ha sido maltratada puede hasta abandonar a su cónyuge que es amable y cariñoso, para irse a vivir con otro que le maltrata y humilla, porque con el que era tan amable y cariñoso, se sentía aburrida, o sentía que no merecía tanto amor. La persona llega a sentir todo tan desconocido, tan fuera de lo que está acostumbrada y a la vez tan asfixante, que prefiere dejarlo para irse con otro que le trate mal, y además por quien puede sacrificarse para rescatarlo de la mala vida que ha escogido. Parece como si la persona estuviera encadenada a esta clase de vida masoquista.

Cuando Janet, criada en un hogar disfuncional, me contó la razón por la cual terminó con su novio, argumentó: "¿Por qué debo seguir con esta relación? El tiene todo bajo control, todos sus problemas están solucionados, él no me necesita. ¿Por qué debo ser su novia?"

MAYRA

La historia de Mayra es típica de alguien que fue criada en un hogar disfuncional. Mayra era la primogénita de ocho hijos; su padre era un alcohólico y la familia nunca sabía en qué condición llegaría él a casa; él les maltrataba física y verbalmente. Cada vez que esto ocurría, Mayra trataba de defender a su mamá y a sus hermanos. Era ella quien tomaba la responsabilidad de mantener la familia junta, sacándolos constantemente de un desastre y otro.

Su madre era creyente y llevaba a todos los niños desde temprana edad a la iglesia. Mayra aceptó a Cristo como su Salvador cuando apenas tenía seis años y había asistido a la iglesia toda su vida. Estudiaba mucho y trabajaba al mismo tiempo, para pagar sus estudios en una universidad cristiana. Fue un día muy feliz para ella cuando logró graduarse y empezó a enseñar en un colegio.

Después de unos meses, ella se casó con un hombre que le amaba entrañablemente. El le animaba a que continuara sus estudios si era lo que ella quería, o si prefería, podría quedarse en casa o seguir trabajando; lo único que él quería era formar un hogar estable, lleno de amor, y más tarde tener hijos.

Extrañamente, la felicidad de Mayra no duró mucho, pronto se sintió inquieta y asfixiada. "El era demasiado bueno para mí", exclamaba. "Me sentía tan culpable que no pude quedarme, tenía que salir corriendo".

Después de dos años, Mayra no pudo aguantar más; se divorció y se fue a vivir con Steven, un drogadicto que prometió casarse con ella pronto. Compraron una casa, bajo la condición de que cada uno pagaría el cincuenta por ciento de su valor total; todos los gastos y todo el trabajo lo dividieron exactamente a la mitad. Cuando se acercó el día del matrimonio prometido, Steve olvidó todas las promesas que había hecho a Mayra y negó todo.

Muy pronto empezó el maltrato físico. Continuamente Steve acusaba a Mayra de que no aportaba suficiente al hogar, en tiempo, dinero y trabajo, a pesar de que si él no pagaba lo que le correspondía, ella pagaba todo para que los servicios no fuesen cortados. Cada vez que ella se sentía saturada de maltratos y decidía abandonarlo, él prometía dejar las drogas y casarse con ella. Aun, alguna vez alcanzó él a comprar los anillos, pero se negó a fijar una fecha para la boda.

Ahora, quince años más tarde, Mayra vino para consejería, quería arreglar su vida y encontrar el camino para volver a Dios. Estaba tratando de decidir si debía dejar a Steven, que en ese entonces además tenía una amante, pero ella aún le amaba, pensaba que quizás cambiaría si le daba otra oportunidad.

"No puedo creer lo que he hecho con mi vida. Yo estoy dejando a Steven tratarme como mi papá trataba a mi mamá", lloraba. "Siempre dije que nunca permitiría a un hombre tratarme así. Yo quiero casarme y tener hijos, pero en unos años voy a tener demasiados años para ello. Tengo que dejar a Steven; sé que no me conviene, pero, ¿qué pasará conmigo si lo dejo?"

Mayra tenía una educación y un trabajo muy bueno que fácilmente le hubiera permitido sostenerse por sí misma, sin embargo, se sentía encadenada al hombre que le hacía la vida tan inaguantable.

Después de varios intentos esporádicos de venir para consejería, Mayra dejaba de buscar ayuda y era porque una vez más Steven había dicho algo en cuanto al matrimonio que aunque muy vagamente, otra vez merecía, según ella, darle otra "última" oportunidad, "tal vez, tal vez, cambiará esta vez". Lo último que supe de Mayra fue que todo marchaba tan mal como antes, pero ella todavía estaba esperando. Mayra estaba realmente encadenada y no tenía el valor de permitir que se le quitaran las cadenas. El enemigo había construido en ella una fortaleza basada en los traumas de su niñez que fueron pasados de generación a generación.

FAMILIA PROPIA

Si los puntos débiles y las puertas abiertas no se cierran y sanan cuando la gente viene a Cristo, ellas continuarán pasando de generación a generación. La siguiente historia nos demuestra cómo estos puntos débiles y puertas abiertas al reino de las tinieblas continúan aún en generaciones de personas que desean nada más que servir a Dios.

JENNY Y ERIC

Jenny y Eric eran ambos hijos de una tercera generación de misioneros ya que sus abuelos habían servido como misioneros pioneros y sus padres siguieron sus pasos. Jenny y Eric esperaban muchos años de felicidad en su matrimonio.

En los primeros años todo marchó bien, hasta que nacieron sus dos hijos. Ahora tenían más responsabilidades y fácilmente se irritaban el uno con el otro. Entonces acordaron que para bajar la tensión, Jenny dejaría su trabajo para dedicarse a tiempo completo al cuidado de sus hijos y el hogar, pero aún así sus discusiones fueron de mal en peor. Un día, en un momento de intensa ira, Eric le pegó a Jenny. Instantáneamente él sintió remordimiento y rogó a Jenny que le perdonara, prometiendo nunca más volver a hacerlo. La cosas mejoraron por un tiempo y entonces todo se repitió otra vez. Eric volvió a llenarse de remordimientos y prometió nuevamente no volver a hacerlo.

Eric se volvió cada vez más irritable, echándole la culpa de todo lo que ocurría a Jenny; decía que su falta de sumisión le provocaba una ira tal, que no podía controlarse. En su desesperación, Jenny buscó a Dios y reconociendo que no era la esposa perfecta, decidió cambiar su manera de actuar. Sin embargo, no importaba lo que ella hiciera para cambiar y agradar a Eric, él siempre encontraba algo que le hacía irritar. Podía sentir la ira creciendo dentro de sí hasta que no podía controlarla y la menor cosa lo hacía estallar. Con el paso del tiempo, los niños también llegaron a ser objetos de su ira.

Eric pasaba mucho tiempo en su trabajo; en la casa, la mayor parte del tiempo lo pasaba trabajando en el sótano, alejado de la familia. Los domingos asistían juntos a los servicios en la iglesia, pero el resto del día Eric dormía o se iba a su trabajo en el sótano; cualquier intromisión en su tiempo hacía estallar su ira. Jenny le rogaba que buscara ayuda, pero él no quería. Al fin y al cabo, siempre decía, que el problema era ella: si ella fuera una esposa más sumisa no tendrían ningún problema.

Finalmente Jenny vino sola a buscar ayuda. Ella me contó la siguiente historia: Los abuelos de Jenny se criaron en familias muy rígidas. Después de sus conversiones y tan pronto les fue posible, salieron para el campo misionero. La vida de los misioneros era difícil en aquel entonces, porque el trabajo siempre tenía que tomar el primer lugar y la familia el segundo. A los niños los mandaban a estudiar a lugares lejanos sin poder ver a sus padres hasta un año después, y como si fuera poco, al finalizar la primaria, tenían que quedarse con parientes en el país de sus padres hasta que ellos volvieran seis o siete años más tarde. Cualquier indicio de llanto o temor era visto como falta de dedicación a la obra de Dios.

La madre de Jenny se casó y volvió al campo misionero antes de cumplir los veinte años, aún no estaba preparada emocionalmente para ser esposa y madre. Ella se sentía muy afectada por las demandas de sus cuatro hijos. Muchas veces Jenny oía a su mamá decir que hubiera preferido no haber tenido hijos.

Sus padres enseñaban en un Instituto Bíblico, y Jenny y su hermano permanecían solos en la casa por largo tiempo, mientras la madre enseñaba sus clases. Por la incapacidad de la madre para realizar su función de esposa y madre adecuadamente, hubo muchas peleas y discusiones entre los padres.

Su padre tenía mucha paciencia enseñando a otros, sin embargo, si uno de sus hijos no comprendía lo que trataba de explicarle, siempre salía enojado, diciéndoles que no iba a malgastar su tiempo si no querían aprender. Los que veían la familia desde afuera, pensaban que era una familia amorosa y dedicada, porque así parecía.

Muchas veces, Jenny se rebeló en contra de sus padres en su corazón, pero nunca se atrevió a hacer o a decir algo hasta después de dejar la casa para ir a la universidad. Al llegar allá se rebeló en contra de todo lo que sus padres le habían enseñado en cuanto a sus creencias y comportamiento. Su estado de rebelión llegó a tal grado, que estuvo a punto de ser expulsada de la Universidad cuando conoció a Eric. Jenny creyó que en Eric había encontrado la persona con quien podría al fin tener un hogar feliz.

De otro lado, el abuelo de Eric era hijo de una familia de alcohólicos. El padre de la familia les maltrataba físicamente de una manera muy cruel. El abuelo de Eric, después de pasar los años de su juventud en lo más hondo del alcoholismo, por la gracia de Dios, fue convertido milagrosamente y nunca más volvió a probar el alcohol. Al convertirse, inmediatamente sintió el llamado al campo misionero. Lo único que le hizo demorar sus planes fue conseguir la preparación mínima que debía tener para llenar los requisitos antes de salir.

El abuelo mantuvo su familia bajo su rígido control, su trabajo siempre estaba en primer lugar de importancia, aun en tiempos de necesidad o enfermedad. Aunque no volvió a tomar alcohol, la rigidez de su personalidad alcohólica aún permanecía, pero ahora se escondía detrás de la religión.

El padre de Eric siguió las pisadas del abuelo, y después de la preparación mínima requerida, salió al campo misionero con su nueva esposa. Pronto les llegaron cuatro hijos. Doris, la hermana de Eric que también había venido para consejería, recordaba su propia imagen temblando en su alcoba junto con sus tres hermanos, mientras escuchaban las horribles discusiones de sus padres en el otro cuarto. Si algún amigo se acercaba a la puerta de la casa, el tono de sus voces de repente volvía a ser muy suave y dulce hasta que esa persona se iba, entonces volvían a ponerse furiosos. Luego, cuando los niños tuvieron que irse a estudiar lejos del hogar, y Doris se marchó, lloró por varios años, sin que nada ni nadie pudiera consolarla.

"Todos pensaban que era porque mis padres me hacían mucha falta", dijo Doris. "No era que me hicieran tanta falta, era que tenía mucho temor de lo que podría estar sucediendo en mi casa, ya que yo sabía cuánto se podrían lastimar ellos mutuamente. Nunca pude contarle a nadie por qué era que yo lloraba tanto.

"Eric era dos años menor que yo. Recuerdo que mi papá le pegaba tan horriblemente que yo no podía aguantar siquiera mirarlo. Mi padre murió hace unos años y desde entonces Eric no puede recordar nada de eso".

"¿Por qué no hizo la misión algo acerca de todo eso?", le pregunté.

"Nunca se dieron cuenta", contestó. "Ambos parecían tan dedicados y como mi papá era muy respetado en las iglesias y la misión, ninguno de nosotros nos atrevimos a decir nada a nadie de lo que pasaba en nuestro hogar".

Mientras Jenny me contaba su historia, era muy claro para mí que estaba frente a un caso de un hogar disfuncional, ya que no había provisto el amor, la protección, el perdón, o el elogio que cada niño necesita para desarrollarse bien y que había pasado de generación a generación, su hogar no había sido uno donde existe el afecto, donde hay libertad para hablar, y sanador como Dios quiso que fuera. Ya no se ingería licor en este hogar, pero la personalidad alcohólica, sí seguía pasando de generación a generación. Las cadenas de la personalidad alcohólica rígida y abusiva, no habían sido rotas y en el área de la vida social todavía quedaban ataduras terribles y profundas, aunque se negaran a aceptar la presencia de sus problemas.

Jenny creía que la mayor parte de su problema con Eric era culpa de ella, pensaba que debía existir algo que ella hacía que le provocaba en alguna forma, pero nunca pudo descubrir cuáles eran las cosas que a él lo encolerizaban; cualquier cosa que Jenny hacía, podría ser calificada como falta de sumisión. Aun en momentos cuando ella tenía los niños tranquilos y se comportaba dulcemente con él, su ira explotaba; a veces parecía como si exactamente su actitud dulce y sumisa fuera lo que le irritaba, aunque él decía que precisamente esa sumisión y dulzura de ella era lo que él quería.

Oramos juntas y atamos el enojo, la ira, y el maltrato que se manifestaban en Eric. Como Eric rechazaba buscar ayuda, sólo pude trabajar con Jenny tratando de prepararla para la batalla espiritual que le esperaba. Definitivamente esta clase de vida que ellos estaban viviendo, no era lo que Dios quería para su matrimonio. Siendo "sumisa" a su pecado de maltrato, bajo ninguna circunstancia terminaría su pesadilla. Dios dijo por medio del profeta Malaquías (capítulo 2:16), que El odia el divorcio y al hombre que se cubre o cubre a su esposa con violencia. Dios detesta el maltrato y el divorcio de igual manera, su plan es que las familias vivan juntas en armonía, paz y gozo.

En este caso, Eric era un creyente, se había entregado de niño a Cristo y quería servirle. Después de cada explosión de ira, siempre se arrepentía profundamente, le pedía perdón y prometía nunca volver a hacerlo.

"En el momento que él esté dispuesto a escuchar", le dije, "es cuando tú tienes que actuar en el poder del Espíritu Santo. Tú puedes ayudar a Eric a renunciar al enojo y al maltrato que dominan su vida y echarlos fuera en el nombre de Cristo Jesús de Nazaret. En su nombre, tienes que cerrar todas las puertas que heredó de generaciones pasadas y también las que han sido abiertas por su propias acciones. Entonces, pide al Espíritu Santo que El mismo llene cada parte de la vida de Eric con su poder, para que ninguna parte de su vida permanezca desocupada y pueda más tarde ser presa del enemigo".

Jenny hizo todo lo que le dije: a la siguiente ocasión que Eric sintió tanto remordimiento por lo que había hecho, ellos ataron y echaron fuera toda la maldad que le estaba controlando. De repente, Eric trató de vomitar y por poco se desmaya. En ese momento sintió que algo maligno salía de él. Entonces cerraron las puertas en su vida que se habían abierto al reino de las tinieblas y pidieron al Espíritu Santo que le llenara con su poder.

Después de esta experiencia, cada vez que venía la tentación de frustrarse y enojarse, Eric aprendió a decir a la tentación: "En el nombre de Cristo, le ordeno que se aleje de mí. No le doy más lugar en mi vida; yo pertenezco a Cristo. Cristo, me abro a Ti; dame Tu paz y Tu amor".

Jenny y Eric se mudaron lejos a otra comunidad y Jenny no pudo volver más a consejería y sólo le vi una vez más, meses más tarde.

"Las cosas han cambiado", me dijo. "Eric ha cambiado. Todavía hay algunas veces que se siente tentado a enojarse, pero él está aprendiendo que su única arma efectiva es el nombre de Cristo. Cualquier otro esfuerzo que haga es inútil, solamente en el nombre de Jesús, él puede permanecer libre. ¿Sabes algo? A través de todo este proceso, Dios me está mostrando nuevas áreas de mi vida que necesito abrirle a El".

Eric y Jenny también cerraron las puertas abiertas en la vida de Jenny y oraron por sus niños, cerrando en sus vidas las puertas abiertas al reino de las tinieblas que ya habían pasado a la generación de ellos y también oraron por las siguientes generaciones.

En Eric y Jenny, Dios estaba rompiendo las cadenas que habían pasado de generación a generación y hubiera seguido pasando a las siguientes. Ahora pueden, como Abraham y Sara, ser la primera generación de una serie de familias que pasarán bendiciones de generación a generación.

En el capítulo siguiente veremos otras partes de nuestra vida social.

CAPITULO 7

Más puertas abiertas en la vida social

En este capítulo continuaremos mirando otras áreas de nuestra vida social que pueden estar abiertas al reino de las tinieblas.

RELACIONES EN LA IGLESIA

El plan de Dios es que nosotros, sus hijos, nos relacionemos como grupo en una iglesia para alimentar nuestra vida espiritual. Los ejemplos que siguen demuestran cómo puntos débiles y puertas abiertas pueden evitar que esa relación se establezca.

SAMUEL

Samuel no crecía en su vida con Cristo, a pesar de que sus padres eran creyentes y anhelaban ver a sus hijos siguiendo al Señor. Samuel, el mayor, había aceptado a Cristo cuando tenía apenas nueve años.

El sabía que Dios le estaba llamando a ser misionero, pero él no quería serlo ya que las cosas de este mundo le atraían en gran manera y no podía dejarlas. Tres veces había rededicado su vida a Dios y dos veces había vuelto a su vieja vida. La última vez que Samuel volvió a Dios, él supo que no podría luchar más en contra de su llamamiento, e inmediatamente se matriculó en el seminario para prepararse para el ministerio.

Sin embargo, aun estudiando la Biblia y preparándose para ser misionero, en lo más profundo de su ser había dudas que plagaban su mente en cuanto a si Dios realmente existía y si realmente la Biblia era la palabra de Dios; cualquiera que fuese el esfuerzo que hiciera por tratar de deshacerse de ellas, era inútil porque estas dudas básicas permanecían.

Cierto día, un evangelista itinerante visitó el seminario y les habló acerca de los efectos que podía tener en la vida de un creyente todo contacto con espiritismo, ellos podrían ser: aversión a la lectura de la Biblia, incapacidad de echar raíces en una iglesia local y dudas profundas en cuanto a la veracidad de la Biblia. Y agregó que ellos no sólo podían aparecer como producto de contactos personales con el ocultismo sino también a través de contactos que los padres o los abuelos hubieran tenido.

Samuel sintió como si el evangelista estuviera hablando precisamente de su caso, a pesar de que aun en los tiempos en que había estado lejos de Dios, él nunca había tenido nada que ver con ocultismo; por lo tanto, decidió preguntarle a su madre si algo de esto pudo haberse presentado en generaciones pasadas.

"Sí", le contestó su mamá, "hubo un incidente. Antes de entregar mi vida a Cristo, yo acompañé a una amiga mía a una reunión donde a través de brujería, hicieron a una mesa "tipiar" un mensaje. Yo no tomé parte directa en la ceremonia, ni siquiera creía en eso y después de llegar a ser creyente yo renuncié a todo eso".

Aunque la madre de Samuel había renunciado a esta experiencia, ella no supo nada acerca de los efectos que esta experiencia podría tener sobre sus hijos y por lo tanto no cerró las puertas a las generaciones venideras.

Cuando regresó al Seminario, Samuel pidió a sus amigos que oraran por él para deshacer los efectos de la experiencia de su madre, y también para cerrar las puertas que podrían pasar a las generaciones venideras. Desde este día en adelante la vida de Samuel cambió; ahora las dudas no podían apoderarse más de él y llegó a ser un buen misionero que llevó mucha gente a Cristo. Dos de sus hijos ministran activamente en la iglesia.

Mientras fundábamos una iglesia en el norte de Colombia, notamos que los nuevos creyentes siempre llegaban a un punto en su crecimiento espiritual y luego se estancaban; la mayoría de ellos sencillamente no progresaban más en su vida con Cristo, mientras otros volvían atrás, al mundo, acompañado todo esto por una creciente ola de chismes y peleas en toda la iglesia.

Al escuchar las historias de sus vidas, nos dimos cuenta del altísimo porcentaje de personas involucradas en espiritismo y otras prácticas de ocultismo que había entre ellos, entonces empezamos a preguntar a cada uno acerca de sus contactos con ocultismo. De centenas de personas con las cuales yo personalmente hablé, no hubo sino una persona que pudo decir que nunca había tomado parte en alguna forma de rito oculto, aunque tenía un tío que vivía en la misma casa, que sí practicaba el espiritismo. Fue allí donde Dios nos enseñó la importancia de cerrar en la vida de cada uno las puertas que se han abierto al reino de las tinieblas. El impacto que esto tuvo en el crecimiento espiritual de los creyentes fue notable, rompió lo que les paralizaba y llegaron a nuevos niveles de acercamiento con Dios.

Otro síntoma de que existen puertas abiertas en la vida de alguien es cuando las personas sencillamente no pueden echar raíces en una iglesia y sentirse "en casa", y más bien siempre encuentran algo malo en el pastor, en los miembros, o en su forma de alabar, y salen en busca de otra iglesia mejor. De otro lado, también hay creyentes que no se dan cuenta si su iglesia ha caído en una doctrina errónea, o que su iglesia está tan muerta que ellos mismos están muriendo; Leonor es un ejemplo de este problema.

LEONOR

Leonor estaba tan atada a su pastor, que le siguió a él y a su familia cuando salieron de una iglesia viva y creciente, para entrar de lleno en una secta falsa. Nada de lo que le dijimos y aconsejamos tuvo efecto alguno. En ese tiempo aún no habíamos aprendido referente a cerrar puertas abiertas al reino de las tinieblas.

La última noticia que tuvimos de ella fue que el "pastor" había proclamado la fecha del regreso del Señor Jesucristo, y había pedido a sus feligreses que vendiesen todo y trajesen el dinero a su iglesia para prepararse para su venida. Pasada la fecha y al ver que nada ocurría, él informó a la gente que Cristo, sí había regresado pero no de la manera que él había pensado que sería; según él, Jesucristo había aterrizado en Guatemala y lentamente estaba viajando a través de América Central hacia el sur de Colombia, y establecería su Sede en la iglesia de ellos desde donde iba a reinar sobre todo el mundo, y solamente los que fueran miembros de la iglesia de él podrían reinar con Cristo.

En todo esto, Leonor seguía a su pastor ciegamente, no así su esposo que nunca quiso tener nada que ver con ellos, rogándole más bien a ella que se saliera del grupo. "La Biblia dice que debemos obedecer a nuestros pastores", decía Leonor. Ella era totalmente incapaz de distinguir entre un pastor verdadero y uno que enseñaba doctrinas falsas. Lo que verdaderamente necesitaban Leonor y su pastor era cerrar las puertas abiertas en sus vidas al reino de las tinieblas.

RELACIONES ENTRE AMIGOS

Otra parte de nuestra vida social que puede tener puertas abiertas, es el área de nuestras amistades. Todos necesitamos amigos, porque Dios nos hizo personas sociables; sin embargo estas relaciones también han sido afectadas por la perdición de la raza humana. Aquí también hay dos extremos en los cuales nos podemos encontrar: De un lado hay gente que sencillamente no puede relacionarse con otros y por tanto se aíslan, por temor a lo que pueden hacerle a los demás, u otros por temor a lo que los demás pueden hacerles a ellos mismos. De otro lado, se encuentran los que no pueden permanecer solos y siempre tienen que estar en compañía de alguien.

Janet estaba segura que era una persona tan mala que contaminaría a todos los que fuesen sus amigos. Aunque era creyente por años, pensamientos de suicidio le plagaban, pensaba que le haría al mundo un favor al dejar de existir; sólo que el pensamiento de enfrentarse al Señor Jesucristo después de suicidarse, le guardaba de llevarlo a cabo.

VIOLETA

Violeta estaba en el otro extremo con sus amistades; ella no aguantaba quedarse sola. Violeta se casó cuando tenía apenas diecinueve años y a los veinte ya tenía una hija, y su esposo había sido encarcelado. Ella visitó a su esposo fielmente durante un año, entonces decidió que no podía aguantar más viajar tanto y se divorció.

Sin embargo, Violeta no podía soportar quedarse sola y se fue a vivir con un drogadicto que le prometió casarse con ella. Juntos fumaron marihuana y pelearon por cinco años, entonces él la dejó. Violeta se sintió destruida y decidió solicitar consejería.

Aunque llevamos todos sus traumas del pasado a Cristo para ser sanados, su terror a quedarse sola no desaparecía y desde que su amante le había abandonado, fue tal el impacto, que decidió buscar a alguien que cuidara a su hija mientras ella se reunía con sus amigos, ya que sólo pensar que no los vería le llenaba de pánico. Su hija, que tenía seis años, empezaba a ser rebelde y nerviosa como resultado de sus inseguridades.

Cuando cerramos las puertas abiertas al reino de las tinieblas en la vida de Violeta e hicimos a Cristo, rey de cada parte, ella pudo luchar en contra de los impulsos de salir corriendo en busca de sus amigos y pudo pasar más tiempo con su hija, profundizó en su vida devocional y empezó a sentirse más "en casa" en su iglesia.

Con el paso del tiempo, Violeta se dio cuenta que ella había escogido amigos que estaban llevando su vida al desfiladero, todos ellos tenían que ser "rescatados" de sus problemas en alguna forma. Aunque muchos de ellos habían tomado la decisión de seguir a Cristo, todos todavía ingerían alcohol o usaban drogas. Violeta había pensado que estaba ayudándoles a dejar sus adicciones y problemas y esto le daba un sentido de valor.

Ahora se daba cuenta de que lo que realmente había sucedido era lo opuesto, en vez de ella ayudarles a solucionar sus problemas, ellos le habían llevado a fumar marihuana cada vez que se reunían. Su necesidad de "rescatar" a alguien para darse un sentido de valor, había encadenado su vida y la había llevado a caer cada vez más.

Sólo fue después de cerrar las puertas abiertas al reino de las tinieblas, que Violeta pudo distinguir entre personas que le ofrecían una amistad que le haría crecer y las que su amistad le llevaría hacia abajo.

ACTITUD HACIA EL TRABAJO Y LOS ESTUDIOS

Como hemos visto, los seres humanos tenemos una fuerte tendencia a vivir en un extremo u otro, y el trabajo o los estudios es otra área social donde tenemos grandes dificultades para permanecer equilibrados; o llegamos a ser vagos o "trabahólicos".

Podemos utilizar el trabajo para evadir enfrentarnos a otras responsabilidades, o, en el otro extremo, hay personas que usan cualquier cosa como excusa para no estudiar o para salir del trabajo.

JAMES

James no pudo continuar sus estudios en el Seminario porque no terminaba sus trabajos de investigación, era muy inteligente pero nunca podía dedicar tiempo a estudiar. Tuvo que retirarse por un semestre para terminar los trabajos que debía haber terminado el año anterior. Habían pasado dos años desde su retiro sin que James hubiera siquiera empezado los trabajos, cuando él vino buscando ayuda a través de la consejería.

"¡Sencillamente no puedo hacer el trabajo! ¡Sé que no puedo!", me dijo.

"¿Cómo lo sabes?", le pregunté.

"Es que cada vez que me siento para empezar a escribir, siento como si algo me dijera: '¿Quién crees que eres tú? Tú no puedes hacer eso, ¡no hay manera alguna en que puedas hacer eso esta noche! Espera hasta mañana, ahora estás demasiado cansado'. Sencillamente no hay nada que yo pueda hacer en contra de eso".

James fue muy infeliz en su niñez, había sido maltratado física y sicológicamente. Su padre se divorció de su madre y les dejó solos y sin amparo. Desde que tuvo ocho años, James tomó la responsabilidad de cuidar a sus dos hermanas mientras su madre entraba y salía de clínicas siquiátricas.

A pesar de todo eso, la madre tocaba el órgano en su iglesia y enseñaba a sus hijos acerca de Dios cuando estaba fuera de la clínica siquiátrica. James siempre quiso servir a Dios, para que su vida estuviera dedicada a Su causa, pero ahora parecía que su crecimiento espiritual se había estancado.

Cuando llevamos sus traumas sicológicos a Cristo para sanidad, me di cuenta que la presencia constante de maltratos, enfermedades mentales y falta de protección había dado lugar al enemigo para construir sus fortalezas. Juntos oramos a través de cada área de su vida, cerrando las puertas abiertas al reino de las tinieblas y declarando a Cristo rey de cada parte.

Establecimos fechas determinadas para la investigación y para el tiempo de escribir cada trabajo. James tenía que cambiar sus hábitos de estudio pero ahora podía luchar en contra de los hábitos y pensamientos pasados.

"Ahora cuando viene el pensamiento que me dice que no puedo hacer el trabajo, lo veo como una tentación y le ordeno que se vaya en el nombre de Cristo, enseguida me siento y empiezo a escribir".

Durante este tiempo, James conoció y se comprometió con una creyente muy especial y se amaban entrañablemente. Entonces él se encontró con la misma clase de sentimientos que se había enfrentado anteriormente con los trabajos de investigación, pero ahora frente a la posibilidad de casarse.

"No sé si estamos listos para casarnos", dijo James un día cuando vino para consejería. "Tal vez debemos esperar un tiempo, tal vez no somos lo suficiente maduros para casarnos".

"¿Cuántos años tienes, James?", le pregunté.

"Treinta y tres".

"¿Y Jane?"

"Treinta y dos".

"James", le pregunté, "¿tú de veras crees que van a madurar más por esperar cuatro meses?"

James se quedó pensativo por un tiempo, y lentamente contestó: "No, sé que no. ¿Sabes lo que creo que es? Creo que es otra tentación para no recibir lo bueno que Dios quiere darme".

"¿Más o menos como no hacer los trabajos de investigación para que no pudieras recibir tu grado?"

Otra vez se quedó pensativo, perplejo por el descubrimiento. "Sí", al fin admitió. "Es que era demasiado bueno para mí, no lo merecía; y así también ha sido con mi trabajo, ni siquiera he podido buscar un buen empleo, siempre sentí que Dios me decía que tenía que tener un trabajo con el cual apenas ganara lo necesario para vivir y un carro para llegar a mi trabajo, pensaba que el carro que debía comprar tenía que ser tan viejo que cuando lo compré me costaron tanto las reparaciones que no me quedó nada para ropa y comida".

"Pues, ahora ¿qué vas a hacer con esos pensamientos?", le dije.

"Tengo que verlos como tentaciones y ordenarles que se alejen en el nombre de Cristo".

Quince días antes de la boda, James terminó su último trabajo de investigación y era libre para recibir la cosas buenas que Dios quería darle; empezaba a creer que Dios de veras le tenía pensamientos de bien y no de mal, para darle esperanza y un futuro (Jeremías 29:11).

Personas como James que han tenido una niñez muy difícil, casi siempre sienten que no pueden tener cosas buenas, creen que si tuvieran cosas buenas, sin duda llegarían a ser orgullosos o hasta llegarían a olvidar a Dios.

Se les olvida que Dios no se siente honrado si sus hijos viven como si su Padre Celestial fuera un padre miserable que se deleita en ver a sus hijos rebajados a la miseria. Con eso, no quiero decir que sencillamente porque somos creyentes vamos a ser ricos, pero sí quiero decir, que Dios no es honrado si no podemos recibir cosas buenas de El. Esto nos lleva al tema de nuestra condición económica.

LA CONDICION ECONOMICA

Hay personas que trabajan y trabajan y sin embargo parece que siempre estuvieran a punto de la bancarrota, pueden ganar mucho dinero pero por alguna razón todo siempre parece que desapareciera sin nadie beneficiarse de ello, mientras que otras personas parece que nunca pueden ganar lo suficiente para suplir sus necesidades.

Quizás por un tiempo las cosas parecen mejorarse, cuando de repente todo lo que ganaron desaparece y no importa cuán duro han trabajado, o cómo han tratado de suplir sus necesidades, de alguna manera todo termina en un desastre; mientras que en el otro extremo está la gente para las que el oro ha llegado a ser su dios. La historia de Verda nos demuestra esta clase de personas.

VERDA

Verda había tenido dos trabajos a la vez desde que era jovencita y lo hacía para ganar dinero y con ello adquirir cosas lujosas que le daban sentido de valor; cuando conoció a Larry, un hombre de negocios, joven, con promesas de llegar a ser muy rico, se juntaron y luego se casaron.

Poco tiempo después que Verda entregara su vida a Cristo, su condición económica empezó a cambiar; ya no podría quedarse con sus dos carros Mercedes Benz, los abrigos de piel, ni las joyas lujosas. Cuando estas cosas materiales desaparecieron, una por una, Verda oró vez tras vez: "Haré cualquier cosa, Señor, cualquier cosa; pero por favor, no permitas que nos volvamos pobres".

"Verda, ¿qué quieres decir con 'volvernos pobres'?", un día le pregunté. "Pues, yo no puedo dejar de hacerme mis mascarillas faciales cada semana, ¡qué fea me vería con vellos en toda mi cara!, y tampoco podríamos renunciar a nuestro caballo de carreras o el poney de nuestra hija y sus lecciones de equitación".

"¿Qué te pasaría si tuvieras que dejarlo todo?", le pregunté.

"Entonces seríamos igual que las demás personas que viven en la pobreza y entonces no habría nada especial en nosotros".

Estos dos extremos: la necesidad de ser rico o la necesidad de ser pobre, puede indicar que hay puertas abiertas al reino de la tinieblas y ninguno de ellos concuerda con la oración: Señor, no me des pobreza ni riquezas; no sea que me sacie, y te niegue, o que siendo pobre, hurte (Proverbios 30:8-9). ¡No! Estos extremos son señales de la presencia de puertas abiertas al reino de las tinieblas.

NUESTRA IDENTIDAD NACIONAL, RACIAL Y SOCIAL

Raramente nos damos cuenta de nuestra vulnerabilidad al reino de Satanás en esta área: Hablamos de la lealtad a "Dios y a la patria", "Sirvo a mi patria y a mi partido político, correcto o equivocado", y se nos olvida que, como creyentes, nuestra ciudadanía está en el cielo (Filipenses 3:20). ¡Cuántos daños se han ocasionado en la vida de personas sin razón alguna, sencillamente por su nacionalidad, su clase social o por el color de su piel!

Si pertenecemos a un país o clase social dominante, o somos de raza blanca o menos trigueña, en alguna forma ha sido infundido en nosotros que somos los que por naturaleza hemos recibido la capacidad de administrar mejor las cosas para que permanezcan en orden, y sin nosotros irían al caos. El resto de la gente, países y clases sociales tienen que en alguna forma llegar a ser como nosotros para alcanzar la posición y condición de "bendecido por Dios", que es de nosotros por herencia y nunca se nos ocurre que tal vez otros países, otras gente o clases sociales no quieren llegar a ser como nosotros, y nuestra manera de actuar les puede parecer no deseable o molesta. Esto abre grandes puertas al reino de las tinieblas y guía a sentimientos de superioridad, racismo, nacionalismo, subyugación de otras personas, guerras y más y más, sin fin. Estas puertas tienen que ser cerradas en el nombre de Cristo Jesús, para que podamos servirnos los unos a los otros, cada uno estimando a los demás como superiores a él mismo (Gálatas 5:13; Filipenses 2:3).

Si pertenecemos a un país o clase social dominada, o somos de raza más pigmentada o trigueña, muchas veces damos por hecho que se nos trata como un número, sin darnos la más mínima importancia o que se nos mira como ciudadanos o personas que pertenecemos a una clase social de segunda categoría, que no podemos distinguir y decidir lo que es bueno para nosotros mismos o que nuestras ideas no tienen valor. Esto puede convertirse en odio hacia los que creen que están haciendo algo bueno por nosotros y nos sentimos impotentes de expresar este odio por temor a las consecuencias, o puede ser que al tratar de adaptarnos a como dé lugar a lo que el país, la raza, o clase dominante dice o cree implícitamente acerca de nosotros, hasta lleguemos a pensar que quizás realmente tienen razón y entonces terminamos menospreciándonos u odiándonos a nosotros mismos.

Ambos extremos, y muchas posiciones entre los dos, abren puertas al reino de las tinieblas y tienen que ser cerradas, para que podamos llegar a conocer nuestra verdadera posición en Cristo Jesús, como personas de gran valor y que están equipadas para toda buena obra. Como hemos visto, estos puntos débiles y puertas abiertas pueden llegarnos a través de generaciones pasadas, o pueden ser abiertas por algo que nosotros mismos hayamos hecho, por algo que nos hayan hecho, o por algo con lo cual hayamos tenido contacto. En el próximo capítulo detallaremos algunas de estas situaciones.

CAPITULO 8

Fuentes de contacto

Si llegaran a existir puertas abiertas al reino de las tinieblas en la vida de alguien, también habrá datos en su historia que nos darán señales de la presencia de ellas. En este mundo caído sentimos la necesidad de una ayuda que va más allá de lo que un ser humano puede ofrecernos; para conseguir fama, fortuna, información, protección, amor, o venganza, buscamos poder en muchas fuentes, pero Dios quiere que le busquemos a El y su justicia (Mateo 6:33), y entonces El suplirá todas nuestras necesidades.

Sin embargo Dios no siempre contesta nuestras oraciones de la manera en que quisiéramos, y cuando esto sucede sentimos la tentación de buscar ayuda en alguna otra fuente de poder y eso puede llevarnos a tener contacto con el ocultismo.

La búsqueda de ayuda en un poder diferente al de Dios, es una señal de la presencia de puertas abiertas al reino de las tinieblas en la vida de quien lo hace.

Cuando participamos en el ocultismo, tenemos contacto con algo que es abominación para Dios. Deuteronomio 18:10-12 dice: *No sea hallado en ti quien ... practique adivinación, ni agorero, ni encantador, ni adivino, ni mago, ni quien consulte a los muertos. Porque es abominación para con Jehová cualquiera que hace estas cosas...*

Los ejemplos siguientes nos muestran algunas de las vías sutiles en que podemos llegar a tener contacto con ocultismo y así abrir nuestras vidas al reino de las tinieblas. Hay mucha gente que por ignorancia cae en estos peligros inminentes en el diario vivir.

TELEVISION, LIBROS, Y JUEGOS

Algunas vías sutiles que nos ponen en contacto con ocultismo, espiritismo o aún con satanismo son: ciertos libros, programas de televisión o películas que demuestran secciones de espiritismo u otros ritos, o películas pornográficas o de horror. Esto nos introduce a nosotros y también a nuestros hijos a las cosas "abominables" igual que si hubiésemos participado en los ritos o en el horror que hemos visto, porque nos da una experiencia vívida y nos hace "entrar en la dimensión del ocultismo.

Otra vía de contaminación es a través de juegos con los cuales nosotros o nuestros hijos nos divertimos, por ejemplo: el juego electrónico "Dungeons and Dragons" ("Calabozos y Dragones"), que empieza cazando dragones con armas y rezos sencillos, sin embargo, en cada nivel los rezos y poderes usados para entrar a los calabozos contienen más rasgos de espiritismo, y los dragones que la persona mata para recibir más poder de ellos tienen la apariencia de demonios hasta en los últimos niveles. La persona formula sus propios encantos y recibe poderes del jefe supremo. Cuando el objetivo del juego es ganar poder por medio de ritos mágicos, o si matar a un animal o a una persona hace al que juega más poderoso, sabio o capaz y luego con ese poder o sabiduría gana el siguiente enfrentamiento y así sucesivamente, estamos tratando con algo que es muy peligroso.

Los seres humanos hemos sido creados para ser llenos de poder proveniente de afuera de nosotros; este poder debe venir solamente de Dios por medio del Espíritu Santo, por lo que Cristo hizo por nosotros en la cruz. Cualquier otro poder u otra vía para recibir poder al cual nos expongamos, no viene de Dios y si lo hacemos, quiere decir que nos hemos puesto a la disposición del enemigo.

Un momento, podríamos protestar, ¡es apenas un juego! Eso puede ser verdad, sin embargo, si para participar en un juego tenemos que descubrir y usar poderes adicionales a los que tenemos por naturaleza, ya no estamos "apenas" jugando, sino que estamos usando poderes sobrenaturales que vienen de afuera de nosotros, ya no es cuestión de mejorar nuestras destrezas por el uso o el ensayo de nuestras capacidades naturales, sino que estamos tratando con poderes sobrenaturales fuera de Dios.

LA MUSICA "HEAVY METAL"

La música "heavy metal" es otra vía de contaminación, porque muchas de la letras glorifican a Satanás, al satanismo, el suicidio, el matar, etcétera. Hay grupos que han hecho pactos con Satanás para asegurarse fama y fortuna. Esta clase de música guía a quienes la escuchan a pensar en la maldad como si fuera algo bueno y deseable. Músicos jóvenes y principiantes como Ricky, nos muestra lo que ocurre con alguien que trató de componer su propia música siguiendo este ideal.

RICKY

Ricky tenía doce años cuando Marsha, su madre, le trajo para consejería; ella no podía entender qué le había pasado a su hijo que antes era extrovertido y juguetón. En cuestión de meses, Ricky se había vuelto malhumorado y hosco, poco comunicativo con la familia, y cuando hablaba, no miraba a los ojos. Sólo se franqueaba con sus amigos del colegio pero lo hacía de un manera sombría y cínica.

Años atrás él había entregado su vida a Cristo, era muy activo en la escuela dominical y en las otras actividades de su iglesia; ahora no quería escuchar ni siquiera algo relacionado con Dios. Sin embargo, a veces buscaba refugio en los brazos de Marsha, como si anhelara hablar con francamente con ella, pero no podía.

Ricky era un niño con gran talento musical y había formado un grupo musical con otros niños de su colegio. Sus padres estuvieron felices de verlo tan interesado en su música hasta que observaron que comenzó a cambiar, entonces se alarmaron. Al principio pensaron que era el comienzo de la adolescencia y que con el tiempo todo volvería a la normalidad.

Ellos se alarmaron aun más cuando Marsha encontró un cuaderno lleno de letras de canciones que Ricky había compuesto; ellas hablaban de las glorias del suicidio, pactos de sangre y cosas dedicadas a Satanás, y en los márgenes del cuaderno había dibujos de demonios y Satanás. La alcoba de Ricky permanecía cerrada, oscura y llena de cuadros de los músicos de "heavy metal". De otro lado el colegio les informó que las notas de Ricky estaban bajando.

Cuando por primera vez vi a Ricky en mi oficina, parecía retraído y desafiante. ¡No quería estar allí! y había venido solamente porque la mamá le había hecho venir.

Los padres de Ricky habían aceptado a Cristo como Salvador poco después de su matrimonio, pero ambos se habían apartado de los caminos del Señor, y sus vidas de creyentes habían llegado casi a extinguirse. Más tarde, Marsha había rededicado su vida y quería seguir al Señor con todo su corazón, pero su esposo no quiso y pasaba horas y horas fuera de la casa atendiendo sus negocios. A través de los años él había llegado a ofender verbalmente a Marsha y humillaba y menospreciaba a Ricky cada vez que tenía oportunidad; mientras más se retraía Ricky más ofensivamente su padre se comportaba.

"Tenemos que ayudar a Ricky", me dijo Marsha, después que su hijo salió de mi oficina, "pero ¿qué puedo hacer yo si mi esposo no quiere buscarle ayuda?"

"¿Está él en contra de conseguir ayuda para Ricky?"

"No", contestó, "pero ¿qué puedo hacer sin él?"

Después de hablar con ella, Marsha decidió ayunar en las mañanas, por Ricky y la situación de la familia; después que los niños salían para el colegio, ella pasaba un tiempo orando por ellos. Como durante ese tiempo casi no podíamos llegar a Ricky, Marsha y yo atamos y echamos fuera la maldad que obraba en él, y desatamos la capacidad de desear cambiar y comprender cuán terrible era la maldad que estaba apoderándose de su vida. Así también oramos por su padre y sus amigos.

"Ricky todavía es un niño", le dije a Marsha, tú eres responsable de tomar la última decisión en cuanto a lo que él puede ver y hacer en su casa y en su alcoba, tú tienes que actuar a favor de él. Si Ricky estuviera ahogándose en el río ¿qué harías?"

"¡Le sacaría del agua!"

"¿Esperarías hasta ver si él quiere que le saques?"

"¡Pues, no! Le sacaría y luego se lo explicaría".

"Ricky está en ese grado de peligro ahora, Marsha", le dije. "Suavemente y con mucho amor, pero a la vez con firmeza, tienes que tomar control de la situación".

Marsha decidió decirle a Ricky que tenía que quitar de su alcoba todo lo que tuviera que ver con temas satánicos, suicidio, sexo ilícito, y cualquier otra cosa de esta índole, y agregó que debía hacerlo al día siguiente después que volviera de estudiar, o de lo contrario ella lo haría mientras él se encontrara en el colegio. Cuando Ricky se opuso, Marsha le explicó que por ser su madre, ella tenía la responsabilidad por todo aquello que entrara en su corazón y su cerebro; también le explicó que respetaba sus gustos y deseos y le amaba tanto que estaba dispuesta a sufrir con él por el dolor que este proceso lo produciría, si esa era la única manera de rescatarlo de la dirección en que iba.

"Ricky no pudo limpiar su alcoba", me dijo más tarde. "Me imaginé que se pondría muy enojado al regresar y encontrarla limpia, pero no fue así, en realidad parecía casi aliviado y como si estuviera contento de que por fin todo hubiera terminado".

Después de esto, Ricky estuvo de acuerdo en que yo orara con él y cerrara las puertas que sus experiencias le habían abierto. Poco a poco su actitud desafiante se transformó en cooperación.

En este punto, su padre aceptó ir para consejería familiar con la condición de que el consejero fuera hombre. Yo perdí contacto con la familia por unos meses, pero la última noticia acerca de Marsha fue que las relaciones en la familia habían cambiado drásticamente y todos estaban asistiendo a la iglesia. Ricky también había cambiado y aparentemente en su grupo de amigos del colegio había encontrado otras cosas más sanas en que interesarse.

RITOS MAGICOS

Otras vías de contacto con ocultismo incluyen la búsqueda de información acerca de lo desconocido, a través de otros medios diferentes a la revelación de Dios por medio del Espíritu Santo. Esos medios pueden ser: el uso de la ouija, por medio de la cual se forman mensajes, letra por letra; usando un péndulo; leer la mano, el café, el té, el cigarrillo, las cartas, los cristales y las bolas de cristal. La lista podría hacerse más y más larga, ya que cada país y cultura usa objetos propios y particulares, pero lo que todos tienen en común es la búsqueda de información que no está al alcance de la mente natural del ser humano.

La gente puede usar ritos mágicos para: tratar de forzar a alguien a que entre en una relación amorosa, retener un amor o encontrar algo perdido, o también puede usarlos para protegerse, vengarse de una relación mala imaginaria o real, así como también para echar maldiciones a personas, que pueden pasar de generación a generación.

Todo esto abre puertas al reino de las tinieblas en cualquier área del triángulo humano. Por eso, si tú has tenido contacto con cualquier de estas cosas o si tus padres o abuelos han estado involucrados en algo semejante, tienes que cerrar esas puertas abiertas que estancan tu crecimiento y desarrollo espiritual.

Haz una lista de todo lo que haz hecho y que puedes recordar, o que sabes que tus padres o abuelos han hecho, y en el capítulo siguiente renunciaremos a todo.

Si anteriormente has renunciado a estas cosas, no lo hagas otra vez, sino sencillamente di al Señor Jesús que reafirmas que has renunciado a ellas, y las has echado fuera de tu vida. En este caso, estás listo para pasar al capítulo siguiente. Hay personas que dicen: "Sí, yo fui a un lugar de esos, pero realmente no creía en eso, sólo fui a acompañar a una amiga".

Al hacerlo ya tenemos un grave problema, pues la Biblia nos dice que Satanás es como un ladrón y nunca espera ser identificado como ladrón para entrar a la casa.

Un ladrón nunca llama a la puerta diciendo: "Yo soy ladrón, permítame entrar, quiero robarle". Un ladrón así, se moriría de hambre.

El ladrón entra cuando el dueño piensa que la puerta o la ventana están bien cerradas y cuando él menos lo espera. Así pasa con Satanás, él no espera a que le invitemos para ponerse en contacto con nosotros; él llega cuando menos lo esperamos y menos creemos en él. Nada ni nadie fuera de Cristo, el poderoso Hijo de Dios, podrá hacer que ese ladrón salga de tu vida, ya que Cristo ganó la victoria sobre Satanás y todas sus huestes, por su muerte y resurrección.

Sin embargo, si tú quieres que Cristo sane tus traumas y cierre las puertas abiertas, en primer lugar tienes que dejar que El entre en tu vida.

En el siguiente capítulo encontrarás una oración guía para invitar a Cristo a entrar en tu vida y tomar control de cada área. Otras oraciones te guiarán a renunciar a cualquier contacto que hayas tenido con ocultismo, y a orar a través de las diferentes áreas de tu vida cerrando a su vez las puertas que han sido abiertas al reino de las tinieblas.

CAPITULO 9

Guías de oraciones

Las guías de oraciones presentadas en este capítulo muestran cómo abrir la vida a Cristo para encontrar la libertad que Dios quiere darnos. La primera guía, te ayuda a invitar a Cristo a entrar a tu vida y hacerle Señor de cada área, la guía siguiente, te ayuda a renunciar a todo contacto que hayas tenido con ocultismo, y la última, te ayuda a cerrar las puertas que han sido abiertas al reino de las tinieblas.

ENTREGA A CRISTO

En el capítulo anterior hablamos acerca del hecho de que queremos que Cristo sane nuestros traumas y cierre las puertas abiertas al reino de las tinieblas, pero antes que ello pueda suceder, en primer lugar tenemos que permitirle entrar en nuestras vidas.

Nosotros tuvimos en la cocina un grifo goteando y llamamos a un plomero para que viniera a arreglarlo. ¿Qué tal si cuando hubiera tocado a la puerta, le hubiésemos dicho que él no podía entrar, porque el apartamento era nuestro y que tenía que arreglar el grifo desde afuera? Sin duda, el grifo habría seguido goteando porque sin entrar al apartamento hubiera sido imposible arreglarlo.

Lo mismo sucede contigo si quieres que Cristo sane los traumas y cierre las puertas que hay en tu vida. En primer lugar, tienes que entregarle tu vida a El, y dejarlo entrar en ella, sino, El no puede trabajar en ti. Tal vez digas: "Pero, Dios siempre ha estado conmigo". Eso es cierto. El siempre está contigo; también está con los gatos, los perros, los árboles y con toda la creación. Sin embargo, El quiere una relación más íntima con nosotros los seres humanos.

La Biblia nos dice en Génesis, capítulo 1 y 2, que cuando Dios formó a Adán del barro, sopló en él aliento de vida convirtiéndolo en un ser viviente. Luego Dios les dijo a Adán y Eva: "El día que coman del árbol del conocimiento del bien y del mal, morirán".

Sin embargo, cuando comieron, no murieron físicamente, y esto se explica en el significado de la palabra muerte, que en griego quiere decir "separación", no quiere decir "acabarse". Cuando el cuerpo muere hay una separación entre el cuerpo y el alma que se realiza cuando el cuerpo queda sin vida. Eso fue lo que les pasó a Adán y Eva, ese aliento de vida que Dios había soplado en ellos salió, entonces murieron espiritualmente, llevándose a cabo una separación entre Dios y ellos.

Esta separación permanece de generación en generación y es por eso que sentimos un vacío tan grande y profundo dentro de nosotros que nada puede llenarlo. Tratamos de llenarlo con carros, casa, ropa, familia, hijos, esposos, novios, religiones y muchas otras cosas, pero es aun más profundo que eso. Nada puede llenarlo, porque es un vacío en el espíritu que solamente Dios, en Jesucristo, puede llenar.

¿Cómo puede Cristo llenar este vacío que sentimos en nuestro espíritu? Cristo nos dice en Apocalipsis 3:20:

> *"He aquí yo* [Cristo] *estoy a la puerta y llamo; si alguno oye mi voz y abre la puerta, yo entraré a él y cenaré con él y él conmigo".*

Si yo toco a la puerta de tu casa y tú quieres que yo entre ¿qué haces? Me abres la puerta y me invitas a entrar, ¿cierto? Si soy bienvenida, me haces pasar a la sala y si quieres que yo cene contigo, me invitas al comedor a compartir tu mesa. Pero si quieres que yo sea el dueño de tu casa, me la vas a mostrar toda y me dirás: "Mi casa está a tus órdenes, dime ¿cómo quieres arreglarla, de qué color quieres que te pinte las paredes? Dime lo que quieres hacer en ella y yo lo haré".

Lo mismo sucede en nuestras vidas con Cristo, El no actúa como ladrón, El es muy respetuoso y no entra sin invitación; El toca a la puerta y espera. Si tú abres la puerta de tu vida, El entra; pero nunca lo hará sin tu invitación.

Invita a Cristo ahora mismo a tu vida. Dile: "Señor Jesucristo, yo me doy cuenta que nunca te he abierto mi vida, a pesar de que has estado conmigo, yo nunca te he invitado a entrar en mi vida. Hoy quiero rendirme a ti, te abro la puerta de mi vida, te pido que entres, limpies todo mi pecado, me perdones y me hagas tu hijo".

"Señor, yo quiero pertenecerte; perdona todo lo que he hecho contra ti y contra otros. Dime qué debo hacer, y yo lo haré, porque quiero que tú seas mi dueño y Señor. Gracias por lo que tú estás haciendo en mi vida. Amén".

Quédate un momento quieto con Dios gozándote y agradeciéndole por haber aceptado la invitación de entrar en tu vida.

RENUNCIA AL OCULTISMO

Ahora renuncia a todo contacto que hayas tenido con ocultismo; toma tu lista y renuncia a todas las cosas, una por una. Ora: "Señor Jesucristo, en este momento quiero renunciar a todo contacto que yo haya tenido con cualquier cosa que sea abominación delante de ti. Yo renuncio a todo contacto que haya tenido con cualquier adivino, agorero, sortílego, hechicero, encantador, adivino, mago, y cualquier espiritista o médium que haya consultado a los muertos.

"Señor, yo renuncio y me alejo de la brujería, la lectura del café, del té, de las cartas, del cigarrillo, de la orina, y de las manos. También renuncio a consultar la ouija, la astrología y el horóscopo".

"Yo renuncio y me alejo de todo programa de televisión, cine o libro sobre esas cosas con las que yo haya tenido contacto, y así también renuncio y me alejo de toda película o libro de horror o de monstruos".

"Yo renuncio y me alejo de toda religión no cristiana, así como a las relaciones sexuales fuera del matrimonio, el adulterio, la pornografía, la homosexualidad, el asesinato, el robo, el hurto en las tiendas, el engaño y el fraude en los negocios y en los exámenes. También renuncio a la mentira, la calumnia, la embriaguez, la droga. Yo renuncio a cualquiera de estos pecados que mis padres hayan cometido. Señor Jesucristo, en tu nombre cierro las puertas que fueron abiertas en mi vida al reino de Satanás con estas experiencias. Te pido que tú limpies todas las partes de mi vida que hayan sido afectadas y las llenes con tu Santo Espíritu".

Si hay algo más en tu lista que recuerdes ahora, y no hayas mencionado, renuncia a ello, diciendo: "En el nombre de Cristo yo renuncio al contacto, y cierro la puerta que fue abierta en mi vida al reino de Satanás cuando yo tuve contacto con __________________________. Señor, llena esta parte de mi vida con tu Espíritu Santo. Gracias, Señor, por liberarme".

Otra vez, quédate quieto delante del Señor por un tiempo, agradeciéndole lo que El ha hecho por ti.

CERRANDO LAS PUERTAS ABIERTAS AL REINO DE LAS TINIEBLAS

Al cerrar puertas al reino de las tinieblas, sería bueno que algún consejero o pastor te pudiera acompañar y ayudar en la oración, y así mismo te conteste cualquier pregunta que quizás te surjan en el proceso. Sin embargo, si no existe alguien que te pueda ayudar, hazlo solo con el Señor Jesucristo. El resto de este capítulo está dirigido al consejero que ayuda a la persona con la oración, pero también es para quien decide orar por sí mismo y sin la ayuda de otros.

Cuando cierras las puertas al reino de las tinieblas, tienes que recordar que estás tratando con poderes mucho más grandes, fuertes y sutiles de lo que tú eres. La única manera en que Cristo podía ganar la victoria sobre ellos fue entregando su propia vida, y no hay manera alguna en que tú puedas ganar la victoria sobre ellos con tus propias fuerzas. Sin embargo, como hijo nacido de Dios, tú has heredado el derecho de usar la autoridad del nombre de Cristo y es en su nombre que vas a batallar.

AUTORIDAD DEL NOMBRE DE CRISTO

Cristo dijo a su discípulos (Juan 16:24):

"Hasta ahora nada habéis pedido en mi nombre; pedid, y recibiréis...."

Fue en el nombre de Jesucristo de Nazaret que los discípulos hicieron su trabajo (Lucas 10:17), y es solamente en su nombre que nosotros podemos trabajar.

Al cerrar las puertas abiertas, tienes que recordar que ellas se abren al reino de las tinieblas. Y Satanás, el rey de dicho reino, no quiere que esas puertas sean cerradas, porque así él pierde su entrada a la vida de la persona. Es por eso que encontramos fuerzas demoníacas, que son como "porteros" que guardan las puertas abiertas. Cristo dijo en Lucas 11:22-23, que si quisiéramos quitar el botín del hombre fuerte, entonces en primer lugar tenemos que vencerle, eso quiere decir que tienes que atar y echar fuera a los "porteros" en el nombre de Jesús, para que las puertas puedan cerrarse.

En Lucas 11:24-26, Cristo nos dice que si alguien ha sido liberado de un demonio y queda vacío, el demonio puede volver con siete más y la condición de la persona sería peor que antes. En Mateo 16:19, Cristo también dice que lo que nosotros atamos en la tierra será atado en los cielos; y todo lo que desatamos en la tierra será desatado en el cielo. Por eso, al cerrar las puertas abiertas, cuando tú atas "los porteros", los echas fuera y cierras las puertas, también tienes que desatar lo que debe estar en esta área, para que esta parte de la persona no quede vacía.

Por ejemplo, si estás tratando con el problema de la mentira, al cerrar las puertas de la conciencia tienes que atar y echar fuera el demonio mentiroso, cerrar la puerta en el nombre de Cristo y desatar la honestidad y la verdad, desata también la capacidad de vivir una vida de honradez y veracidad, así como Cristo vivió cuando estuvo aquí en la tierra.

Cuando niño, la persona probablemente no tuvo un buen modelo en sus padres y ahora tiene que tener algún otro como modelo para su vida. Cristo es la única persona que puede ser ese modelo que nunca le guiará equivocadamente, y por eso es indispensable llegar a conocerle íntimamente, como nos enseña la Biblia; así, en situaciones difíciles, cuando la persona no sabe qué debe hacer, tiene que pedirle a Cristo que El le muestre qué es lo que El haría o cómo actuaría si El estuviera en esa situación, y entonces con su poder hacer lo mismo.

Debido a que pueden haber muchas áreas que tienen puertas que deben ser cerradas, quizás pasen varias semanas antes que puedas terminar a través de cada área. No debes tratar de apresurarte durante este tiempo; si se presentaren dificultades especiales que vienen a la mente de la persona, por ejemplo, si siente una ira que le surge de repente, toma el tiempo necesario para atar esa ira, échala fuera y cierra la puerta. A otra persona quizás le viene una tristeza aguda o el recuerdo de algún tiempo doloroso que tienes que ayudarle a llevar a Cristo para sanarlo. Otras personas que no están bien "sintonizadas" con sus emociones quizás no sientan nada en el momento, pero más tarde van a notar pequeños cambios en su vida; cualquier cosa que Dios le traiga durante de este tiempo, necesita atención especial.

Hay mucha gente que equivocadamente pide a Dios que El ate tal o cual cosa y lo saque de su vida, sin embargo Cristo dijo que lo que *nosotros* atemos o desatemos en su nombre, será atado o desatado. Es muy importante que nosotros usemos la autoridad que El nos ha dado, en vez de rogarle que El haga la parte que nos corresponde a nosotros. Hay personas que tienen temor de empezar a usar esta autoridad que Dios nos ha dado, y eso es exactamente lo que Satanás quiere, porque entonces él no tiene que salir. Esta autoridad de atar y desatar es nuestro derecho en Cristo, dado por Dios y aun el hijo de Dios "recién nacido" tiene la autoridad de usar el nombre de Cristo.

La oración que sigue a continuación, se puede hacer para uno mismo, para ayudar a otra persona o en un pequeño grupo. Después que la persona ha escrito y renunciado a la lista de los contactos que ha tenido con ocultismo, sigue orando y reconociendo que solamente puedes llegar a Dios a través de Jesucristo. En casos especiales Satanás mismo puede entrar en la vida de una persona, como lo hizo con Judas (Juan 13:27), entonces, en primer lugar cierra cualquier puerta que quizás da a Satanás una entrada a la persona.

ORACION GUIA

"Señor Dios, reconozco que sólo podemos venir a ti por medio de lo que Cristo hizo por nosotros en la cruz, y es por medio de El que llegamos a ti ahora, reclamando nuestro derecho por herencia en Cristo para usar la autoridad de su nombre. Señor Jesús, guíanos por el Espíritu Santo ahora que enfrentamos al reino de las tinieblas, y cúbrenos con tu sangre porque reconocemos que es tu muerte y resurrección lo que nos hace vencedores.

"En el nombre de Jesucristo de Nazaret, ustedes 'los porteros' de las puertas abiertas a Satanás en la vida de ____________________ *(ejemplo, mía o Juan)* sea de generaciones pasadas o por algo que él mismo experimentó, les ato ahora y les echo fuera al abismo. Satanás, en el nombre y la autoridad de Jesucristo de Nazaret, usted y todas sus huestes saldrán de ______________ *(ejemplo, mí o de Juan)* y nunca volverán otra vez, él pertenece a Cristo y usted no tiene más acceso a su vida, en el nombre de Jesucristo, cierro todas las puertas que le dieron acceso a su vida.

"Señor Jesucristo, cubre por favor, esas puertas con tu sangre y séllalas con tu mano para que nunca puedan abrirse otra vez. En el nombre de Cristo yo junto todas las tinieblas que ya le han entrado (Romanos 13:12) y las echo fuera al abismo. Cristo, por favor, entra con tu luz a cada parte afectada y alumbra cada huequito y esquina para que no pueda quedar ninguna oscuridad. Gracias por lo que tú estás haciendo.

"Señor Jesucristo, te presento el espíritu de________ *(ejemplo, mío o Juan)*. En el nombre de Jesucristo de Nazaret, ato a todos "los porteros" de las puertas abiertas en su espíritu al reino de las tinieblas, sea por hechos de generaciones pasadas o por lo que él mismo ha experimentado y les echo fuera al abismo. En el nombre de Cristo, yo cierro las puertas abiertas en su espíritu y echo fuera todas las tinieblas que por ellas han entrado.

"Señor Jesucristo, cubre por favor, esas puertas con tu sangre y séllalas con tu mano para que nunca puedan abrirse otra vez. Cristo, por favor, entra con tu luz en cada parte afectada y alumbra cada huequito y esquina para que no pueda quedar ninguna oscuridad. Gracias por lo que tú estas haciendo".

Continúa con esta oración, orando por la diferentes áreas de su espíritu, su conciencia, su intuición espiritual y su área de adoración. Cuando las puertas estén cerradas en cada parte, guía a la persona a hacer la siguiente declaración:

"Delante del mundo visible e invisible, yo declaro en el nombre del Señor Jesucristo de Nazaret, que ahora yo dedico cada área de ___________ *(ejemplo, mi vida, la vida de Juan... que Satanás ha tocado o de mi espíritu: mi conciencia, mi intuición espiritual, y mi adoración* al Señor Jesucristo de Nazaret, para que El reine sobre ella. Señor Jesús, entra y toma tu trono, te declaro Rey de cada parte de esta área, por favor, muéstrame qué es lo que debo pensar, decir, sentir, hacer, y ser en estas áreas y por tu gracia lo haré; muéstrame también qué es lo que no debo pensar, decir, sentir, hacer y ser y por tu gracia no lo haré".

Si la persona no puede hacer esta declaración, con mucho amor, pregúntale qué es lo que no quiere o que no puede dejar, y si no sabe, pide que Dios se lo revele y luego pregúntale qué es lo que piensa que quizás sería. Sea lo que fuere, átalo y échalo fuera en el nombre de Cristo y sigue con la declaración. Después de terminar con la declaración, sigue orando con la persona.

"Señor Jesucristo, basado en esta declaración, te pido que tú entres en cada parte de _______________ *(ejemplo, el espíritu mío, o de Juan)* y perdones lo que necesita ser perdonado, limpies lo que necesita ser limpiado y, sanes lo que necesita ser sanado, desde el momento de su concepción hasta este mismo momento y donde haya fortalezas del enemigo, las quitamos con la espada del Espíritu. Cubre todo con tu sangre, haz todo tan limpio y brillante que te refleje a ti sentado en tu trono.

"En tu nombre, Señor Jesucristo, yo desato en su ___________ *(ejemplo, espíritu o conciencia)* la capacidad de _____________________ *(ejemplo, tener una relación muy estrecha con Dios o distinguir entre lo bueno y lo malo) como tú lo hiciste cuando estuviste aquí en la tierra".*

Sigue desatando lo que no pudo hacer, pensar, sentir, etcétera, en cada área de la cual has cerrado las puertas.

Cuando termines de orar por el espíritu de la persona, sigue con su siquis (el consciente, el subconsciente, el inconsciente, la voluntad con las expectativas, los pensamientos, el lenguaje, y las emociones) y guíale en las declaraciones por estas áreas y desata lo que no pudo pensar, decir, sentir, hacer o ser.

Continúa con su cuerpo (el cerebro, el resto del cuerpo con los cinco sentidos, y su vida sexual), luego sigue con su vida social (su familia de origen, su propia familia [presente o futura], sus relaciones con su iglesia, sus amigos, su trabajo o estudios, su condición financiera, y su identidad nacional, racial y social) y ayúdale con la declaración después de terminar con cada área. No te apresures con esta oración, muchas veces se puede apenas terminar un área en una sesión.

Después de terminar con todas las áreas, pide que Dios le llene con el Espíritu Santo, concediéndole los dones espirituales que El tiene para la persona. También ata y echa fuera cualquier maldad o demonio que quizás reside en su casa o apartamento. Pide a Dios que envíe ángeles para que constantemente acampen alrededor de él y de su familia, donde quiera que estén, sea en la casa, en la calle, en el autobús o cualquier otro lugar.

Anima a la persona a que se dé cuenta de cambios pequeños en su vida hasta la cita siguiente. Todos queremos ver cambios grandes y rápidos en nuestras vidas, pero la Biblia nos dice que no debemos menospreciar las pequeñeces de Dios. Cuando Dios habló a Elías en la cueva (1 Reyes 19:11-13), El no estaba en el terremoto, ni en el viento grande y poderoso, ni en el fuego, sino El estaba en el silbo apacible y delicado. Así es que cuando buscamos los cambios pequeños y delicados, no pasamos por alto las cosas pequeñas de Dios, y a la vez encontramos también los grandes milagros.

Cuando termines de cerrar las puertas al reino de las tinieblas, la persona necesitará un tiempo de seguimiento para estar seguro de que no hay problemas escondidos que hayan quedado y así ella pueda crecer en la libertad que Dios le ha dado. En el siguiente capítulo miraremos algunos de los problemas que se pueden presentar durante este proceso.

CAPITULO 10

El tiempo de seguimiento

Después de cerrar las puertas al reino de las tinieblas, las personas necesitan tiempo para crecer en su vida nueva, tienen que ser guiados e instruidos con amor y compasión a cambiar los hábitos viejos y su manera de enfrentar la vida. En este capítulo miraremos algunos problemas que pueden aparecer durante este proceso. Los últimos dos capítulos están dirigidos especialmente a aquellos que ayudan a las personas en este tiempo de seguimiento.

Al aconsejar a alguien que ha sido herido en gran manera, es bueno planear con anticipación cierto tiempo para cada sesión. Tales personas necesitan tanto amor y tiempo que si no se fija un tiempo determinado, tú, como consejero, podrías llegar a agotarte de tal manera que la relación se podría ver interrumpida antes de lograr sus objetivos; aun llegar a afectar tu relación con tu familia o tu matrimonio por falta de energía y tiempo para los tuyos.

Los que no son consejeros profesionales pueden sentir que limitar el tiempo dado a una persona con tanta necesidad, no demuestra amor cristiano; sin embargo, sólo así podrás seguir ayudándole por el período de tiempo que necesita para reorientar su vida, que puede ser un período largo. Si el aconsejado sabe de antemano cuánto tiempo estás disponible para él, no se sentirá rechazado cuando se termine, porque sabe que tendrá otra oportunidad de hablar y orar contigo.

Después de cerrar las puertas que se habían abierto al reino de las tinieblas, quizás ahora pueda recordar otros traumas que antes habían sido reprimidos. Si su vida ha sido un trauma constante, orar a través de las diferentes etapas de su vida puede ayudarle a encontrar las heridas que pudo haber pasado por alto.

LA ORACION ETAPA POR ETAPA

La historia de Gladys, que figura en este capítulo y los siguientes, demuestra cómo le ayudó a alguien la oración, etapa por etapa a través de su vida.

GLADYS

Gladys era la sexta en medio de once hijos; los dos grupos de cinco niños le apretaron de ambos lados y como no estaba ni en el grupo de los mayores ni en el grupo de los menores, se sentía dejada de lado. Sentía que nadie tenía tiempo para ella y, por lo tanto, nunca se sintió amada o aceptada. Gladys no sabía quién era y se sentía como si nadie viviera dentro de su cuerpo, tal como si fuera nada más que una "cáscara" vacía.

Durante los años sesenta, Gladys se hizo "hippie", se fue a vivir a California con su esposo, y diez meses más tarde, después de un tiempo recibiendo maltrato físico, se divorció y se fue a vivir a una comuna donde trató desesperadamente de encontrar amor en las drogas y las orgías de sexo, pero nada llenaba ese vacío que sentía en su interior, nada pudo encontrar la persona que vivía dentro de su "cáscara".

Cuando la comuna se desintegró, Gladys pasó un tiempo en las calles, buscando dinero para su comida y sus drogas; se sentía desechada, sucia y sin esperanza; pensamientos de suicidio le plagaban. Por unos años deambuló de ciudad en ciudad y de amistad en amistad, sin encontrar el amor y la aceptación que buscaba.

Un día Gladys oyó que Cristo podría cambiar su vida y aquel día le aceptó como su Salvador. Asistió a un grupo de Alcohólicos Anónimos y después de ser adicta por muchos años, dejó de usar las drogas y el alcohol, pero no podía trabajar. Se mudaba de una habitación a otra y trataba de confiar en Dios para proveerle el dinero que necesitaba para comprar su comida. Cierta vez, no tenía nada más que un pan grande para comer en una semana completa. Un día entró errante a una iglesia donde el pastor le tuvo compasión y le ayudó a conseguir un seguro del Estado y un pequeño apartamento donde vivir.

Físicamente las cosas marchaban mejor para Gladys, sin embargo, casi no podía aceptar esas cosas buenas; se odiaba por su pasado y no podía confiar en nadie. Aunque la oración era lo que más le daba consuelo, más que cualquier otra cosa que conociera, orar le dolía, porque aun haciéndolo sentía que se odiaba a sí misma.

Gladys no podía orar, sino estaba arrodillada en el piso, enconchada, y en esa posición oraba por dos a tres horas, tres o cuatro veces al día: "Ay, Dios mío", lloraba, "soy nada más que un gusano, no valgo nada. No puedo hacer nada sin ti, por favor ¡ayúdame! ¡Soy una persona terrible e inútil! De veras te amo; por favor, te lo suplico, ámame a mí también, ¿por qué no me amas?"

Trajimos sus experiencias más dolorosas a Cristo para ser sanada y cerramos las puertas al reino de las tinieblas y Gladys se sintió mucho más libre. Empezó a trabajar, pero aún sentía que nadie vivía dentro de ella.

Sentí que debía orar con ella, etapa por etapa, detallando cada momento de su vida; así que ese día oré por su vida prenatal. Ya que Cristo también tuvo un período prenatal de nueve meses, le pedimos que El entrara en la memoria que todavía quedaba viva en la siquis de Gladys y sanara todos los traumas que le sobrevivieron durante ese tiempo.

En la sesión siguiente oré a través de los primeros cinco años de su vida. Durante esos años su familia se mudó de una ciudad grande a un pueblo, siendo un tiempo increíblemente difícil para la madre que tenía seis hijos pequeños y pronto quedó esperando la que seguía a Gladys. Trajimos a Cristo las necesidades de cada etapa del bebé, momento a momento para sanarlas.

"Señor Jesús", oré, "sé con Gladys a través de esos cinco primeros años de su vida, te entregamos cada momento desde el instante en que nació hasta la fecha de su primer cumpleaños; lleva cada dolor que ella sintió, cada necesidad que no fue suplida, y llénala con tu amor. Te traemos cada momento, de cada hora de este primer día y de la misma manera, anda a través de cada día, de cada semana, de cada mes de ese año.

"Durante ese primer año, Gladys no podía protegerse", continué orando, "ella tenía que depender de otros para suplir sus necesidades. Mira cuán afanada y presionada estaba su familia al mudarse a su nueva casa; Cristo, por favor, toma a Gladys en tus brazos, protégela, cántale, dale el tetero, cámbiale sus pañales, mírale a sus ojitos y dile que tú le amas y que ella es una niñita importante y muy querida".

Le contamos todo lo que Gladys sabía en cuanto a ese año, y todo lo referente a las necesidades de un niño de esa edad que tal vez ella no había recibido, y le pedimos que Cristo lo llenara con su amor.

A la edad de cinco años un niño posee identidad propia, pero Gladys todavía se sentía vacía. Le pedimos a Cristo que nos mostrara dónde se encontraba la pequeña Gladys, escondida dentro de sí misma y le animé a que se imaginara tomada de la mano de Cristo andando con El a través de ella misma, buscando a la niñita.

"En una esquina de mí misma, veo algo parecido a una anguila muy grande y gorda, creo que estoy aplastada debajo de ella".

"Muy bien. Dile, pues, a esa anguila muy grande y gorda que se vaya en el nombre de Cristo; que no le das más lugar en tu vida".

Al decir eso, "la anguila muy grande y gorda" desapareció y Gladys encontró a una pequeña niñita de cuatro años, aplastada y llena de temor donde "la anguila" había estado sentada. Gladys le dijo a la niña que ahora Cristo la iba a proteger, que ya había pasado el peligro y podía salir. Entonces Gladys sintió que por fin, se había encontrado a sí misma; emocionalmente apenas tenía cuatro años, y ahora necesitaría tiempo para crecer.

En las semanas siguientes, oramos a través de cinco años de su vida en cada sesión. Gladys me contó detallamente todo lo que ella sabía o podía recordar de lo que había sucedido en esos años, trajimos a Cristo sus necesidades en cada situación, momento a momento, para ser sanadas y suplidas y también desatamos la capacidad de recibir de El todo lo que le faltaba en esta edad.

Cuando oramos a través de los cinco años del tiempo que Gladys estuvo en California, yo vi con mis "ojos espirituales" como si estuviéramos andando por un paisaje destruido por bombas, cubierto con ceniza de por lo menos veinte centímetros de profundidad y lo único que se podía ver eran hierros viejos, dañados y retorcidos, como si fueran restos de estructuras que en algún tiempo pasado habían sido edificios muy lindos, pero ahora no quedaba nada más que una completa desolación.

En la medida en que oramos a través de los cinco años, entregando esos escombros de las experiencias de Gladys a Cristo, pidiéndole que diera belleza a cambio de la ceniza, yo vi como enredaderas y vides verdes, vigorosas y bellas tapaban esos hierros torcidos, cambiando todo el paisaje en jardines, los mismos escombros de lo destruido y torcido, ahora daba la estructura para la belleza de lo nuevo. Dios realmente estaba dando belleza a cambio de la ceniza en la vida de Gladys.

Otra área que quizás necesita atención especial en la gente que ha cerrado puertas al reino de las tinieblas, es renunciar a dones falsos. Esto también fue un problema en la vida de Gladys.

RENUNCIANDO A DONES FALSOS

Dios da dones espirituales a sus hijos para equiparlos para la tarea que El quiere que hagan (Romanos 12:6-8; 1 Corintios 12), sin embargo, también existen dones falsos que vienen de tener contacto con el reino de las tinieblas, y precisamente a esos dones es que tenemos que renunciar.

Una manera que Dios nos ha dado para discernir entre los dones, es por los efectos que su uso tiene en los que ejercitan el don y los beneficiarios del ejercicio de dicho don. En 1 Corintios 14:3, Dios nos dice que sus mensajes nos edifican, nos exhortan y nos consuelan. Si alguno de estos tres falta, podemos saber que hay algo que no es correcto con el don o con el mensaje. Eso quiere decir que si un mensaje exhorta pero no edifica y consuela, no viene de Dios. Si un mensaje solamente consuela pero no edifica y exhorta tampoco viene de Dios.

GLADYS

Gladys no podía confiar en nadie, tampoco podía aguantar estar con grupos de personas y aun asistir a su iglesia le angustiaba. Sentía la presencia de la maldad por todas partes. Todo en su vida tenía que ser estrictamente organizado, porque le parecía que sólo así podía protegerse de la maldad alrededor de ella.

"Yo veo lo que hay dentro de la gente", me dijo. "Cuando estoy sentada en la iglesia, veo que aquella persona es hipócrita, esa peleó con su esposa, la otra está llena de ira, muchas están deprimidas".

"Y, ¿nunca ves nada bueno en la gente?", le pregunté.

"No hay gente buena, todos tienen algo malo en ellos", contestó. "Yo puedo verlo en ellos".

"¿Quieres decir que de veras puedes mirar dentro de alguien y ver cómo es su vida?"

"Sí, y es terrible".

"¿Nunca puedes ver lo bueno y el perdón de Dios en ellos?"

"No, solamente lo malo y la maldad".

"Dime, Gladys, ese 'conocimiento' de lo que está dentro de la gente, ¿te edifica, te exhorta o te da consuelo?"

"¡No!", exclamó. ¡Me llena de terror y me hace muy infeliz!"

"Gladys", le dije suavemente, "eso no viene de Dios. El nos da su don de discernimiento cuando lo necesitamos para entender lo que está sucediendo, pero su comprensión opera solamente por el poder del Espíritu Santo y es un conocimiento que nosotros vemos o sentimos en nuestro espíritu, nunca es algo que podemos ver o sentir directamente. El don de Dios también nos ayuda a discernir lo bueno en la gente. Nunca nos da el poder de mirar dentro de ellos y ver su maldad. ¿Estás dispuesta a renunciar a este falso don?"

Gladys vaciló por un tiempo porque llegó a ser muy claro para ella que si renunciaba a ese don, perdería un cierto poder que tenía sobre la gente; ser libre de esta carga que le pesaba tanto, le iba a costar. No estaba segura si estaba dispuesta a perder este poder.

"Sí", finalmente suspiró, "estoy dispuesta a renunciar a este don, no puedo vivir más con ello".

Gladys renunció a ese falso don en el nombre de Jesucristo de Nazaret. "Señor", oró, "Yo sólo quiero recibir los dones que Tú me des y yo acepto que no voy a saber nada más que lo que el Espíritu Santo me revele en cuanto a la gente. Renuncio a todo lo referente a sobrenatural conocimiento, y acepto ser una persona común, con las capacidades normales de los seres humanos, como tú originalmente planeaste que yo fuera".

Al renunciar a ese falso don, Gladys perdió su capacidad de ver dentro de la gente, sin embargo, como estaba tan acostumbrada a ver la maldad, aún no podía ver nada de lo bueno que había en ellos, entonces desaté en ella la capacidad de ver lo bueno y bello en otros y en ella misma. Gladys tuvo que aprender a disciplinar sus pensamientos y tomar cada pensamiento negativo y llevarlo cautivo a la obediencia de Cristo (2 Corintios 10:5) para que pudiera desarrollar el hábito de tener pensamientos positivos y poder ver lo bueno en otros.

A través de la Biblia, Dios dio mensajes directamente a personas y así mismo El puede escoger hacer eso hoy en día; empero, si esos mensajes no edifican o exhortan a la persona a seguir más de cerca al Señor, o no le dan consuelo, significa que no llenan los requisitos dados por Dios y tienen que ser rechazados. Los mensajes de Dios nunca dan a alguien poder sobre otra persona, sus mensajes dan verdadera libertad.

APRENDIENDO A ORAR

Cuando una persona ha sido liberada y sanada, usualmente tiene que aprender a orar; eso no quiere decir que no hubiera orado antes, sino que muchas de nuestras oraciones son tan vagas que ni siquiera sabemos si han sido contestadas. Por alguna razón parece como si tuviéramos temor a hacer oraciones concretas; otra vez Gladys nos sirve de ejemplo.

GLADYS

Gladys oraba largas horas con el fin de sentirse "conectada" con Dios y si no repetía este tiempo de oración dos o tres veces al día, perdía su sentido de "conexión". Muchas de sus oraciones consistían en frases como estas: "Dios, soy tan terrible, tan mala. Por favor ayúdame. ¿Por qué no me ayudas? ¿Por qué no me amas?"

"Gladys", le dije un día, "cuando el ciego clamaba a Jesús (Lucas 10:51), Jesús le preguntó: '¿Qué quieres que haga por ti?'; si Cristo viniera ahora mismo y te dijera: '¿Qué quieres que haga por ti?', ¿qué le pedirías?"

Después de pensar un tiempo, contestó: "Diría: 'quisiera sentirme conectada a ti'".

"Muy bien", le contesté. "Entonces, pediremos a Cristo que te haga sentir conectada a El".

Gladys tenía problemas en pedir algo tan concreto y no pudo formular la oración. Después de varios intentos exclamó frustrada: "Pero, ¿cómo le pido esto?"

"Exactamente como me lo pedirías a mí. Di: 'Dios, quisiera sentirme conectada a ti. ¿Qué es lo que no me permite sentirme cerca de ti? ¿Qué obstáculo hay en mí que hace que no pueda sentir tu amor?'"

Gladys anotó esta oración para durante la semana poder seguir orando concretamente acerca de su problema. En esa semana, Dios le mostró que había una rigidez inmensa en su vida que no le permitía hacer o iniciar algo que no fuera exactamente como ella lo había planeado de antemano. Si Dios no hacía que su día resultara exactamente como ella pensaba, entonces se sentía desconectada de El y sin su amor.

Al menos Gladys pudo decirme lo que ella sentía que necesitaba de Dios, pero otros, como Jaime, llegan a estar tan desconectados de sus emociones que ni siquiera saben lo que necesitan.

JAIME

Jaime era un hombre muy inteligente con varios títulos, que trataba de liberarse de un vicio que le había esclavizado por años. El sentía que una fuerza maligna escondida en la profundidad de su ser le controlaba como un títere y cuando esta fuerza maligna halaba ciertas "cuerdas" dentro de él, se sentía sin fuerzas para controlar sus pensamientos y acciones.

Estas ataduras mantuvieron a Jaime en una esclavitud continua y destruyeron su gozo de servir al Señor. En la medida en que trabajamos con sus traumas y las puertas abiertas, él se sentía más libre que antes, sin embargo, a pesar de todo el ayuno y oración que hizo, la cuerda central no se rompió y la maldad no salió.

Un día le pregunté: "¿Si Cristo llegara y te dijera: 'Jaime, ¿qué quieres que haga por ti?', qué le pedirías?"

Jaime se quedó pensativo por un buen tiempo. "De veras, no sé", al fin contestó lentamente. "Hay muchas cosas que yo necesito".

"Piensa", le insistí, "Cristo viene a ti y tú tienes la oportunidad de pedirle algo, algo que puede ser lo más importante de tu vida. ¿Qué le pedirías?" Imaginé que diría algo como: Por favor, expulsa esa presencia de maldad que hay en mí, o por favor, corta esa cuerda central que me domina, o yo quiero ser libre.

Después de pensar otro largo rato contestó: "Creo que lo que más necesito ahora mismo es dinero para terminar mi apartamento o para comprar un carro nuevo".

"Pero, ¿qué acerca de tu esclavitud?", le pregunté. "¿Qué acerca de esa cuerda central que te esclaviza?"

Nuevamente se quedó pensativo por un tiempo largo: "¿Sí? ¿Qué quieres decir?"

"Pues, ¿qué le pedirías referente a eso?"

"No sé; tienes que decirme. ¿Qué es lo que debo pedirle respecto a eso?"

A pesar de que Jaime había sido creyente por muchos años y trabajaba activamente en su iglesia, no podía entender cómo Cristo podría hacer algo por su profunda esclavitud. Jaime necesitaba una liberación de su mente y de su espíritu antes que él pudiera entender qué él podría y debería pedir a Dios específicamente para que lo liberara de su problema.

Otras personas temen pedir de una manera específica, porque les parece que sus necesidades son demasiado pequeñas como para presentárselas a un Dios tan grande y ocupado. Piensan que al fin y al cabo, Dios conoce todas las cosas, sabe lo que ellos necesitan ¿por qué tienen que decírselo?

Un pastor se quejaba que el salario que su iglesia le pagaba era tan bajo que no tenía suficiente dinero para comprarse un par de zapatos.

"Dios nos prometió que cuando buscamos su Reino, El nos suple nuestras necesidades", le animé. "¿Le has contado a Dios referente a tu necesidad?"

"Sí, he orado acerca del asunto"

"¿Cómo has orado?"

"Pues, le he pedido que me supla todas mis necesidades".

"¿Algún día has orado así: 'Dios, yo soy tu hijo y necesito un par de zapatos; dame un par, por favor'".

"¡No!", contestó horrorizado. "Nunca pediría a Dios algo de esa manera".

"¿Por qué no? El es tu padre; pero no exactamente como era tu padre terrenal. Dios es como tu padre terrenal debió ser y no fue. Si no le pides cosas especificas ¿cómo vas a saber si te ha contestado? ¿Cómo puedes darle gracias específicamente? Ten el valor de pedirle a Dios por algo específico y verás lo que pasa". A los quince días el pastor tenía sus nuevos zapatos y alabó a Dios específicamente por ellos.

Para los que han sido heridos muy profundamente, una de las cosas más difíciles de aprender es a orar específicamente; es mucho más fácil esconderse detrás de generalidades, sin exponer sus verdaderos sentimientos y deseos. Cuando por fin aprenden a abrirse así con Dios, ellos empiezan a crecer muy rápido en su vida nueva.

En la medida en que entramos en la nueva libertad que Dios nos tiene en Jesucristo y aprendemos a usar la autoridad del nombre de Cristo para ayudar a otros, hay ciertas precauciones que debemos tener en cuenta. En el siguiente capítulo veremos algunas de estas precauciones.

CAPITULO 11

Algunas precauciones

Cerrar puertas al reino de las tinieblas en la vida de gente con problemas, puede ser algo nuevo para muchas personas y como tal, puede provocar muchas reacciones de diferente índole en los que leen este libro. Por eso, es importante hablar acerca de algunas precauciones que se deben tener en cuenta al asumir alguna posición frente a su contenido.

De un lado, nosotros los seres humanos, como ya hemos visto, tenemos la tendencia a ir de un extremo a otro en nuestras reacciones, mientras que Dios es el único que siempre está en el punto de equilibrio sin inclinarse para uno u otro lado. En nuestra humanidad siempre tenemos la tendencia a ir a la derecha o a la izquierda y muchas veces respondemos así cuando aprendemos algo nuevo.

Cuando descubrimos algo que es nuevo para nosotros, podemos llegar a verlo como la solución a todos los problemas, aun para aquellos que hasta entonces no han tenido solución, entonces tratamos de usarlo para todo, sin discernir si eso es lo que realmente la situación requiere. Además, podemos llegar a estar tan convencidos de la superioridad de la nueva verdad, que tiramos todo en lo que hemos creído o usado antes y llegamos a llamar "incrédulo" a cualquiera que no acepta sin reservas lo nuevo, y hasta llegamos a no escuchar nada de lo que dicen esos "incrédulos". Esta sería la posición de un extremo.

Al otro extremo podemos asumir la actitud del que piensa: "Debe haber algo malo en esa idea ya que no he oído nada de eso antes" y así podemos llegar a sospechar y hasta a rehusar escuchar y examinar lo que nos cuentan.

Pensamos que puede ser muy humillante admitir que no hemos oído hablar de eso y más fácil que admitir nuestra "deficiencia" es tratar de encontrar inconsistencias y deficiencias en lo nuevo; así justificamos rechazar la idea y además, así no tendremos que admitir nuestra "deficiencia" de no haber oído hablar antes de la nueva verdad.

Pocas personas pueden realmente permanecer en el punto de equilibrio entre usar algo nuevo si ayuda a solucionar el problema y a la vez recordar que no es una panacea o solución definitiva para todas las dificultades que se les presenten. No hay solución que resuelva todos nuestros problemas y tribulaciones sino hasta que lleguemos al cielo.

Cerrar las puertas al reino de las tinieblas ayudará a liberar a ciertas personas de algunas tentaciones y problemas a las cuales ellos no pueden sobreponerse, sin embargo, eso no es una "solución final" a todos los problemas sicológicos. No habrá una "solución final" a todos nuestros problemas hasta que Cristo vuelva y haga nuevas todas las cosas. Los siguientes ejemplos nos muestran varias clases de personas que necesitaron otro tipo de ayuda a sus problemas.

DEFICIENCIAS FISICAS

Nosotros somos seres humanos, hechos del polvo y al polvo volveremos, nuestro cuerpo está sujeto a las consecuencias de la caída humana. A pesar de eso, en la gran mayoría de las personas la muy delicada función interior del cerebro se encuentra bien equilibrada y nuestra capacidad de pensar funciona bien.

Sin embargo, en algunas personas las sustancias químicas de su cerebro no están equilibradas lo cual causa que sus pensamientos no funcionen en forma normal.

Encontramos algo similar en otras enfermedades físicas; por ejemplo, en una persona con diabetes, el cuerpo no produce la cantidad de insulina necesaria para asimilar los azúcares en la comida, pero si se inyecta con insulina, podrá funcionar bien y vivir una vida casi normal. En la misma manera, como ya hemos visto, los desequilibrios y deficiencias de las sustancias químicas en el cerebro pueden causar enfermedades como nos muestran los siguientes ejemplos.

CAMBIOS MANIACO-DEPRESIVOS

Ya hemos dicho que en algunas personas el cerebro no produce el equilibrio correcto de ciertas sustancias químicas; cuando eso pasa la persona no puede controlar sus estados de ánimo. En un momento dado puede sentir un gozo hasta llegar al delirio, como si estuviera en la cumbre del mundo y ve todo hermoso y resplandeciente. Entonces su estado de ánimo cambia y se siente deprimido y subvalorado en todo, el mundo entero le parece oscuro; ni todas las oraciones o los recuerdos de cuán bello era el mundo ayer, le puede ayudar; otra vez Gladys nos sirve de ejemplo.

GLADYS

Por años, Gladys había estado tomando dosis altas de varias medicinas, pero a medida que ella traía sus heridas sicológicas a Cristo para ser sanadas y cerramos las puertas al reino de las tinieblas, el médico le suprimió dos medicinas.

Cuando trató de dejar la tercera medicina, sus estados de ánimo empezaron a cambiar abruptamente: un día estaba segura de que nada jamás podría volverla a deprimir, pero al día siguiente todo le parecía oscuro y sin salida, un día se sentía muy cerca de Dios, pero al siguiente sentía que Dios la había abandonado. No quería sentirse así, luchaba y oraba en contra de sus emociones; quería que Dios la sanara completamente.

"Mire, Gladys", le dije después de un tiempo, "el plan original de Dios para tu vida era que tú vivieras en el paraíso, donde no había ninguna enfermedad; el plan de El era que tú estuvieras perfectamente sana, sin necesidad de tomar medicinas.

Pero ya no estamos en el paraíso, estamos en un mundo donde hay enfermedades por todas partes. Si tú fueras diabética ¿no te inyectarías insulina?"

"Sí", contestó.

"Entonces piensa acerca de tu medicina en la misma manera", le insistí. "Si Dios te sana más adelante, entonces podrás dejarla, pero mientras tanto, demos gracias a Dios por las medicinas que nos ayudan a funcionar normalmente". Cuando ella volvió a tomar la medicina, sus cambios abruptos de estado de ánimo disminuyeron.

Gladys había sufrido muchísimos traumas que le causaron heridas sicológicas y tenía muchas puertas abiertas al reino de las tinieblas; cuando éstas sanaron, se cerraron, y su manera de enfrentarse a la vida cambió.

Ella dijo: "He cambiado de ser un conejito asustado a ser una persona completa".

Sin embargo, debajo de los traumas y las puertas abiertas había una condición química que necesitaba tratamiento y hubiera sido cruel decirle o darle a entender que si tuviera suficiente fe sus emociones serían más estables.

DESORDEN OBSESIVO-COMPULSIVO

Cuando una de las sustancias químicas que el cerebro produce se reabsorbe en cantidades demasiado grandes, nuestros pensamientos se repiten y repiten, a pesar de nuestros mejores esfuerzos por controlarlos. Marian y Josie son ejemplos de esa condición.

MARIAN

Marian se sentía desanimada, no podía dormir por los pensamientos que corrían por su mente. ¿De veras había apagado la estufa de gas? ¿Qué tal que encontrara a sus preciosos gatos muertos por la mañana, solamente porque se sentía demasiado perezosa para ir a la cocina a revisar el gas una vez más. Ya lo había hecho seis veces antes de acostarse y cada vez estaba apagado, pero, ¿qué tal si no lo hizo bien?

Había decidido firmemente que esa noche no se levantaría ni una sola vez a revisar el gas, iba a confiar en el Señor Jesucristo, y El cuidaría los gatos. ¡Tenía que dejar esta locura! Pero..., ¡los pobres gatos tendrían que respirar el gas y se morirían! No pudo aguantar más, tiró sus cobijas y corrió a la cocina. ¡Qué alivio! El gas estaba apagado y los gatos no iban a morir.

Marian se metía debajo de sus cobijas calientes lista para dormir toda la noche. Gracias a Dios, el gas estaba apagado, ahora podía dormir tranquila, pero..., ¿qué tal si no lo había hecho bien? ¿De veras, lo había apretado bastante? Tal vez debía revisar una vez más, sólo para estar segura que lo había apretado suficiente, quizás podría haber un escape tan pequeño que no lo notara en la alcoba, pero los gatos podrían morir en la cocina y ella tendría la culpa de su sufrimiento sólo porque había sido demasiado perezosa para levantarse a revisar el gas una vez más. "¡Ay, Dios! ¡Ayúdame, por favor!", gemía.

Marian vino a consejería por pura desesperación. Pasaba horas alistándose para dormir: tenía que tocar y revisar cada ventana en cierto orden y en tres lugares diferentes para asegurarse que estuvieran cerradas, también tenía que revisar las puertas vez tras vez en cierto orden. Pero revisar el gas le quitaba aun más tiempo: quitaba todos los botones de la estufa y miraba para cerciorarse que todos los que estaban debajo estuvieran exactamente alineados, pero cuando colocaba los botones, probablemente los de abajo se habían movido, entonces los quitaba y los alineaba otra vez y así sucesivamente, vez tras vez. Ella no quería hacer esas cosas, pero sencillamente no podía dejar de hacerlas.

Marian tenía muchas heridas sicológicas en su vida: su madre había muerto en un accidente cuando era una niña, y su padre y su hermano tenían muchas rutinas compulsivas que causaron muchas tensiones en el hogar. Ellos en su búsqueda desesperada por alguna ayuda hasta habían probado el ocultismo, pero nada les alivió. Llevamos las heridas de Marian a Cristo y cerramos las puertas al reino de las tinieblas y eso le dio un poco más de paz, pero eso no hizo desaparecer sus rutinas obsesivas de revisar las puertas, ventanas y el gas cada noche.

Yo insistía que Marian fuera a un médico para que le recetara una medicina pero ella vacilaba. "Quiero que Dios me sane. ¿No debería tener suficiente fe como para ser completamente sanada?" ¿No sería mal testimonio si yo, como hija de Dios, tomo medicinas?"

"¿Por qué sería eso un mal testimonio?", le pregunté. "¿No estarías sencillamente diciendo que tú eres un ser humano con un cuerpo humano que un día volverá al polvo? ¿Estás dando mejor testimonio del amor de Dios en la forma en que estás viviendo ahora?"

"Compara eso con tomar insulina; la medicina provee al cerebro lo que necesita para que tus pensamientos no vuelvan y se repitan. Si más tarde Dios te sana, entonces podrás dejarla, y mientras tanto puedes vivir una vida normal y dar gracias a Dios por su amor en proveer para tus necesidades. Esta es la oportunidad de experimentar la forma en que Dios te consuela y te provee en medio de tus dificultades".

La medicina trabajó muy rápidamente en Marian; en una semana los pensamientos acerca del gas no fueron tan obsesivos como antes. A veces se acordaba de los gatos, pero ahora los pensamientos no le oprimían tanto y después de tomar la medicina esos pensamientos habían desaparecido. ¡Cómo alababa Marian a Dios por su liberación! Que Marian tenía pensamientos obsesivos era bastante claro desde el principio, ya que era fácil distinguirlos. Otros casos no son tan fáciles de detectar, porque los pensamientos obsesivos muchas veces giran alrededor de temas religiosos y en el caso de Josie fue más difícil distinguir lo que pasaba.

JOSIE

Josie, ejecutiva de una gran firma internacional era muy eficiente y excelente en su trabajo; progresaba más que otros, pero se sentía muy sola. Tenía muchos amigos, pero ningún novio y cada año que pasaba, su angustia crecía.

Llegó a ser una obsesión para ella el encontrar un novio y luego un esposo, sentía que no podía vivir sin un hombre en su vida y a cualquier amigo que tenía lo bombardeaba con llamadas telefónicas, sólo para estar segura que seguía con ella y no había salido con otra, desde luego eso la involucraba en muchas situaciones insanas.

Josie no podía creer que Dios le amara, sentía que estaba muy lejos de ella, si aún existía; trataba de buscarle pero no podía encontrarle. Sentía que El amaba a otros y les daba muchas cosas maravillosas pero a ella no le daba nada, y sencillamente no podía creer que su vida le importara.

Cuando le pregunté a Josie acerca de su niñez, insistió que no habían traumas que no hubieran sido sanados. Cuando tenía cinco años, su padre murió. Los dolores de cabeza de su padre se habían agudizado a tal grado que tuvieron que suspender sus vacaciones. Los exámenes médicos diagnosticaron un tumor canceroso que acabó su vida en cuestión de semanas.

Unos años después, su madre se casó con un hombre muy especial que tenía tres hijos, y adoptó a las tres niñitas; así Josie llegó a tener dos hermanas y un hermano más. Se gozaban de su nueva familia, incluyendo su nueva hermanita que pronto les nació. Josie estaba muy feliz de tener un nuevo padre y este gozo duró por unos años, hasta que su segundo papá murió.

"¿Has podido llorar la muerte de tus padres?", le pregunté.

"No", contestó, "casi no recuerdo la muerte de mi primer padre, y con el segundo, yo ya era adulta y entendí que él estaba muy enfermo; me sentí muy triste por mi mamá".

"Pero, ¿cómo te sentiste en cuanto a ti misma? ¿Adónde se fue tu tristeza?"

"Estaba bien, lo acepté".

"Pero ¡supongo que estabas triste! ¿Adónde se fue esa tristeza? ¿La guardaste en tu interior? ¿Qué pasó con ella cuando tú aceptaste la muerte de tus padres? No puede sencillamente desaparecer, porque no lo asimilaste".

Josie no pudo contestar la pregunta. Descubrimos que ella no tenía memoria de los años entre la muerte de su primer padre y la presencia del segundo en su vida y aunque llevamos a Cristo todos los traumas que pudo recordar, ello no hizo ninguna diferencia en sus problemas. Oramos, cerramos puertas, pero nada siquiera llegó a tocar sus problemas ni le hizo sentirse en contacto con Dios; aun cuando Dios claramente le contestó oraciones concretas, ni así pudo creer o sentir que El quería realmente darle cosas buenas.

Al cabo de un año, le recomendé a Josie que fuera a donde un médico para que la chequeara a ver si tenía pensamientos obsesivos, pero ella no quiso. "Mis problemas no son tan agudos como para consultar un médico", insistía. "Puedo funcionar bien y no tendría ningún problema si sólo pudiera dejar de hacer esas llamadas telefónicas locas".

"Josie", le contesté, "tú no tienes que llegar al punto donde no puedes funcionar para tener pensamientos compulsivos, hay personas que tienen cargos de alta responsabilidad y tienen ese problema. Por lo menos, hazte chequear para que estemos seguros de que tu problema no tiene sus raíces en eso".

Los médicos no estaban convencidos de que fuera un caso de pensamientos compulsivos, pero decidieron darle la medicina para tratarlos y ver si quizás le ayudaba a controlarlos. Josie, a su vez, hizo contacto con un grupo de personas adictas a relaciones tóxicas, algo parecido a lo que es Alcohólicos Anónimos.

En unas semanas los pensamientos de Josie empezaron a cambiar y ella encontró dentro de sí misma a una niñita que en forma desesperada se acogía a su primer padre, tratando de amarlo tanto, de tal manera que él nunca la dejara. A medida que ella aprendió a consolar a la niñita y le ayudó a abrirse al amor de Cristo, su vida empezó a cambiar.

La medicina detuvo el círculo de sus pensamientos obsesivos, y por fin, pudimos llegar a sus heridas profundas y traerlas a Cristo para sanarlas.

Poco a poco, ella ha empezado a ver que su concepto de Dios era equivocado y que Dios, sí, le amaba y quería traerle cosas buenas a su vida. También se dio cuenta de que aunque sería bueno casarse, su vida no dependía de eso. No podíamos llegar a los traumas más profundos de Josie sino hasta que la medicina suplió las sustancias químicas que su cerebro necesitaba.

AYUDA EMOCIONAL TEMPORAL

Cuando un creyente se cae y se parte una pierna no tiene dificultad alguna en que los médicos le tomen radiografías, le pongan un yeso hasta que el hueso sane y le dén medicinas para el dolor; no dice: "Tendré suficiente fe y el hueso volverá a colocarse en su posición correcta".

Asimismo podemos tomar como ilustración de la condición mental de personas que han sufrido traumas sicológicos intensos; piensan y piensan una y otra vez, sus pensamientos giran en círculos y más círculos, oran y claman a Dios, pero sus pensamientos no pueden parar.

Podemos comparar la mente de ellos con la pierna rota: necesita un yeso para que pueda descansar lo suficiente como para empezar a sanar y el médico puede proveer ese "yeso" dándole medicinas.

A medida que sus pensamientos cíclicos se calman, podemos guiar a la persona a llevar sus heridas a Cristo y cerrar las puertas abiertas y, según vaya sanando, poco a poco puede ir reduciéndosele la medicina.

DAÑOS EMOCIONALES PERMANENTES

Sabemos que Dios puede hacer cualquier cosa; lo hemos aprendido desde la primera vez que oímos hablar de Dios. Sin embargo, hay ciertas condiciones en la cuales Dios ha limitado su poder de actuar; por ejemplo, Dios podría quitar toda la maldad de la faz de la tierra y, de hecho, un día lo hará. ¡Cómo anhelamos ese día! Pero, todavía no ha llegado.

Así mismo, un día Dios nos quitará todas las enfermedades, pero ese día todavía no ha llegado. Toda la maldad, así como las enfermedades, son parte de la caída de la raza humana y permanecerán con nosotros hasta la resurrección de todas las cosas al final del mundo.

Dios nos ha dado la autoridad de su nombre sobre la maldad y las enfermedades, lo cual no quiere decir que la maldad y las enfermedades *todas* se van, aun Cristo no sanó a todos los enfermos. El cojo que diariamente llevaron a la puerta del templo para pedir limosna y fue sanado por Pedro y Juan (Hechos 3:1-10), estuvo allí día tras día cuando Cristo entraba y salía y nunca le sanó. Nos preguntamos: ¿por qué? No sabemos.

Algunas enfermedades Dios las sana usando los mecanismos naturales de sanidad que El ha puesto en nosotros al crearnos, tales como un resfriado o una fractura y junto con eso podemos o no, hacer uso de medicinas o la cirugía; otras enfermedades El las sana instantáneamente a través de un milagro, otras pasa un tiempo antes que El las sane milagrosamente o la sanidad se produce más rápido que lo normal; y otras no serán sanadas sino hasta el día en que recibamos nuestros nuevos cuerpos resucitados y en estos casos Dios nos da su gracia y su consuelo para vivir victoriosos con la enfermedad (2 Corintios 1:2-4).

Ciertas enfermedades causan daños permanentes al cuerpo, como la parálisis infantil. Cuando oramos por estos casos, atando y echando fuera la enfermedad, cerrando todas las puertas abiertas, y desatando sanidad, si Dios no pone nuevos músculos en la pierna, sería muy cruel decir a la persona que si continúa usando muletas para andar, deshonra a Dios. Además de hacerle vivir una vida inválida, le haríamos sentirse culpable porque su pierna no le funciona. Mientras que le animamos a usar sus muletas, y a confiar en Dios para hallar la fuerza y el consuelo diario que necesita, Dios será glorificado. Con seguridad, Dios sí le consolará y le usará para confortar a los demás de la misma manera que él fue consolado.

Yo tengo síndrome de Ménière, una enfermedad que si no recibiera tratamiento podría hacerme perder la facultad de oír. Muchas veces hemos orado por mi sanidad, sin embargo, el problema continúa; si tomo mis medicinas con regularidad no tengo mayor problema. Me sentiría muy contenta si pudiera ser sanada, pero si tomando dos pastillas dos veces al día mi cuerpo de polvo sigue funcionando, ¿no debo tomarlas con gratitud a Dios por esa solución tan sencilla?

Lo mismo sucede con personas que tienen problemas emocionales que les han durado mucho tiempo o que les han causado un daño permanente y que quizás tienen que seguir tomando medicamentos para funcionar mejor o aun normalmente. Sería cruel de parte de nosotros decirles que deben dejar sus medicinas y sólo tener suficiente fe para vivir sin ellas. Si Dios les llega a sanar, ellos podrán poco a poco reducir la dosis y seguir funcionado normalmente sin problemas y hasta que eso sucede, debemos animarlos a que continúen tomando sus medicinas y dar gracias a Dios por la manera en que El suple las necesidades de su cuerpo.

En diferentes ocasiones Dios usa distintas maneras de sanar y por eso, cuando oramos por personas, tenemos que discernir lo que El quiere hacer y como no siempre es fácil saberlo, vamos a mirarlo más detenidamente.

DISCERNIENDO LA VOLUNTAD DE DIOS

Cristo llevó nuestras enfermedades en la cruz: los pecados de nuestro espíritu, las enfermedades de nuestro cuerpo y las tristezas y dolores de nuestra siquis. Dios no quería que nosotros viviéramos con todas esas dificultades, su plan original, era que viviéramos en el paraíso donde no existe el dolor. Jesús vino para hacernos libre, y un día vendrá a restaurar todas las cosas y otra vez seremos completamente libres. Pero mientras eso sucede, Cristo anda a nuestro lado con el propósito de llevar nuestras ansiedades (1 Pedro 5:7), y nos consuela en todas nuestras tribulaciones. ¡El es el Dios de toda consolación!

A pesar de eso, a veces nos encontramos frente a un dilema. Cristo dijo a sus discípulos que hay ciertos demonios y enfermedades que no salen sino con oración y ayuno (Mateo 17:21), entonces, ¿cuándo debemos ayunar y orar hasta que la enfermedad sea sanada, y la persona sea completamente liberada? o ¿cuándo quiere Dios consolar a la persona en su tribulación para que pueda consolar a otros por medio de la consolación con que Dios le consuela? (2 Corintios 1:3-4).

Pablo se enfrentó al mismo dilema y continuó orando que su aguijón fuera removido, hasta que Dios le contestó (2 Corintios 12:7-12). Cuando estuvimos trabajando en la iglesia en Pasto, Colombia, en los años de 1968-70, enfrentamos este misma dilema.

Colombia había atravesado por muchos años de violencia entre los dos partidos políticos y los creyentes estaban atrapados entre los dos, murieron muchos por su fe. Poco después del Concilio Vaticano II, el país reaccionó como nunca antes lo había hecho al movimiento del Espíritu Santo.

La ciudad de Pasto nunca había oído el Evangelio predicado en sus calles y Dios nos guió a llevar a cabo unas campañas grandes al aire libre para que todos pudieran oír las Buenas Noticias. En estas campañas los evangelistas oraban por los enfermos siendo muchos de ellos sanados milagrosamente.

En una de estas campañas, nuestro hijo David, de dos años, se enfermó y los evangelistas oraron por él. David no se mejoró y al terminar la campaña su condición fue de mal en peor, hasta el punto que a la mañana siguiente tenía un color oscuro, necesitaba oxígeno.

¿Por qué Dios no le sanaba? Decidimos ayunar por él aquella mañana y orar una vez más antes de llevarlo al médico. Yo tomé a David en mis brazos y Carlos le impuso sus manos y oraba echándole fuera la enfermedad y pidió que Dios le sanara. En medio de la oración, David recobró su color normal, su temperatura bajó y su tos desapareció. ¡Nuestro hijo había sido sanado!

Durante estas campañas nuestra familia tuvo que enfrentarse a otra enfermedad que parecía no tener cura. Seis semanas después de nacer nuestra hija Ruthie, mis exámenes médicos salieron positivos, indicaban que tenía cáncer en el cuello de la matriz. Mientras que aún estaba en el hospital después de la primera intervención quirúrgica, un evangelista vino a Pasto para evaluar la posibilidad de realizar la primera campaña. Dios había usado a este hermano para hacer milagros grandísimos y él oró por mí para que Dios me sanara completamente.

Seis meses más tarde, los siguientes exámenes resultaron dudosos, sin embargo, una biopsia mostró ciertos cambios celulares pero no cáncer; ahora el problema era que el lugar de donde extrajeron la biopsia no sanaba, así permaneció cinco meses, unos meses más tarde otro examen salía sospechoso de cáncer nuevamente. El cirujano quería operarme y extraer la matriz o remover otra parte del cuello del útero, para así aún darnos la oportunidad de tener los otros dos hijos que queríamos. ¿Qué debíamos hacer?

Durante todo ese tiempo tuvimos campaña tras campaña en muchas partes de la ciudad. Una noche los niños en la calle estaban inusitadmente bulliciosos; nos gritaban y tiraban tomates durante la predicación. La tarde siguiente, antes de ir a la calle nos reunimos a orar en la casa de un creyente, para atar la fuerzas malignas que estaban obrando en los niños.

En medio del tiempo de oración, el evangelista dijo: "Creo que hay personas enfermas aquí por las cuales Dios quiere que oremos antes de ir a la calle. ¿Quiénes son? La madre de la familia donde nos encontrábamos sufría de una hernia y pidió oración.

Mientras el evangelista hablaba, me vino a la mente el daño que había sufrido en la columna cuando tenía nueve años al caerme para atrás por unas gradas de cemento y se me dañó la columna en tres partes. Con el nacimiento de los niños las lesiones se habían empeorado tanto, que ni siquiera podía alzar a los niños en mis brazos, tenía que sentarme para que ellos se subieran sobre mis rodillas. Yo sentía que Dios quería que pidiera oración por mi columna y entonces le pedí al evangelista que orara por mí; cuando lo hizo yo no sentí nada.

Después de esto, fuimos a la calle para empezar el servicio, sentada en el estuche del acordeón, yo acompañaba los coros que cantaban, de repente sentí como algo caliente, más o menos de diez centímetros de largo en el punto más bajo de mi columna, que subía lentamente, deteniéndose cierto tiempo en cada una de las tres partes donde estaba la lesión, hasta llegar a mi cabeza y entonces desapareció.

A la mañana siguiente podía moverme y doblar mi cuerpo como nunca antes lo había experimentado, ya que esas partes de mi columna habían quedado rígidas desde que tenía nueve años, pero ¡además tenía un dolor agudo en todo el cuerpo! Al reunirnos, como de costumbre, en nuestra sala para orar esa mañana, el evangelista y Carlos me impusieron las manos otra vez y un calor como una llama me corrió hacia abajo de la columna, subió otra vez y de repente todo el dolor desapareció. A la semana siguiente, Carlos me impuso las manos una vez más en una parte de mi cuello que aún permanecía rígida; esta vez sentí como si mi cabeza se fuera a salir, es decir, como si alguien la hubiera halado fuertemente y el punto rígido desapareció.

En todo este tiempo ellos también oraron por mi cáncer. ¿Por qué Dios no me sanó el cáncer cuando su poder actuó en mi cuerpo sanando mi columna? Obviamente este no era un caso de "falta de fe" porque, Dios, sí, había sanado milagrosamente mi columna. ¿Qué deberíamos hacer? ¿Debíamos mantenernos en ayuno y oración hasta que Dios me sanara o debía tener la operación de la matriz? El médico esperaba nuestra respuesta, ¿qué era lo que Dios quería que hiciéramos?

Decidimos ayunar y orar hasta que Dios nos mostrara qué era lo que El quería que hiciéramos. "Dios", oré, "¿qué es lo que tú quieres? Estoy dispuesta a hacer lo que tú sabes es lo mejor para mí, estoy dispuesta a tener la cirugía, pero también estamos dispuestos a entrar en un período de ayuno y oración hasta que tú me sanes. Por favor, muéstranos lo que tú quieres y lo haremos".

En ese momento alguien llamó a Carlos y él tuvo que salir por un rato mientras que yo continué orando y esperando delante del Señor hasta que El me habló: "Arline", me dijo, "Yo quiero que tú tengas esta cirugía. Te llevaré al hospital, te sanaré y te traeré a casa otra vez. Yo conozco el futuro, más de lo que tú lo conoces".

Cuando Carlos volvió, le conté lo que yo sentí que Dios había dicho y él estuvo de acuerdo que eso había sido de Dios; entonces llamó al cirujano inmediatamente e ingresé al hospital al día siguiente para operarme la matriz.

La cirugía transcurrió sin problema alguno, pero a la noche siguiente, contraje una infección intestinal y cuando Carlos vino a visitarme mi temperatura era de más de cuarenta grados. Cuando Carlos mostró el termómetro a las enfermeras, ellas llamaron al médico urgentemente a su casa.

Apenas podía yo oír a Carlos hablando, lo escuchaba como si estuviera muy lejos, aunque estaba al lado de mi cama, como yo sentía que me iba, con gran esfuerzo logré decirle: "Amor, debes orar por mí, siento como si me estuviera yendo".

Carlos oró imponiendo sus manos sobre mí cabeza, y yo sentí una ola de calor pasar por mi cuerpo, de mi cabeza a mis pies y de abajo hacia arriba otra vez. Entonces fue cuando recordé la promesa: "Te llevaré al hospital, te sanaré y te traeré otra vez a casa".

Yo había pensado que Dios quería decirme a través de la promesa que El iba a librarme de la cirugía. ¡Entonces supe que El se refería a la infección intestinal! Cuando llegó el médico, mi temperatura había bajado tanto que regañó a las enfermeras por haberle llamado innecesariamente.

Dios me sanó de mi cáncer por medio de la cirugía. ¿Por qué?

¿Por qué estuvo su poder presente en mi cuerpo para sanarme cuatro veces y nunca tocó el cáncer? No sé. He agregado esta pregunta a mi lista de preguntas que quiero hacer a Cristo cuando le vea. Ahora que esta pregunta ha llegado a formar parte de otras más que, según mi entender, no pueden ser contestadas en esta tierra, puedo entregarla a El para que El la cargue por mí hasta cuando le vea cara a cara y entonces, si todavía quiero saber el ¿por qué?, pues ¡se lo voy a preguntar!

No sé por qué Dios quiso que yo tuviera esa operación, no sé por qué tengo que tomar medicina para mis oídos, pero, sí, alabo a Dios porque El suplió mis necesidades en medio de mis dificultades. Durante este largo período de mi enfermedad, cuando miraba a mis dos bebecitos y me preguntaba si yo viviría lo suficiente como para que ellos pudieran recordar a su mamá, Dios me consoló con su infinita consolación y es precisamente esa consolación que El me dio en esos pasajes difíciles de mi vida que yo transfiero a otros para consolarlos.

Cristo vino para hacernos libres, aunque tengamos que vivir en medio de un mundo caído y con un cuerpo que va a volver al polvo; es por eso que nos dio la autoridad de su nombre, para que podamos continuar la obra que El empezó cuando estuvo aquí en la tierra (Juan 14:12). Sabemos que Dios quiere que todas las puertas al reino de las tinieblas estén cerradas y todos los pecados vencidos en su nombre, pero a la vez nunca debemos pensar que tenemos la llave que nos da una solución a todos los problemas de la vida. Los pensamientos de Dios son más altos que los nuestros y debemos buscar la voluntad de Dios para saber cómo orar en ocasiones específicas y recibir de El la edificación, la exhortación y la consolación que necesitamos de El.

Sí, Cristo vino para libertar a los cautivos y lo más sorprendente es que lo hace a través tuyo y mío. Si tú recibes su libertad y consuelo, te darás cuenta que muy pronto El te presentará personas que tú podrás llevar a El para que ellas también reciban su libertad y consuelo y entonces tu vida dará alabanza a la gloria de su nombre.

CAPITULO 12

La alabanza de Su nombre

Cuando Dios nos usa para traer la libertad de Cristo a los que están encadenados, tenemos que andar humildemente delante de El y darle toda la gloria y alabanza por la sanidad que El lleva a cabo en las vidas de los que El toca a través de nosotros. Tenemos que concentrarnos en El, no en las sanidades, ni en el reino de las tinieblas, tampoco en las puertas abiertas que dan vía a ese reino. La siguiente ilustración puede ayudarnos a distinguir entre ellos.

CASCABELES Y MORAS SILVESTRES

Me crié en las montañas de Allegheny, Pennsylvania, en nuestra finca, que era la última antes de llegar a los bosques que cubrían la cumbre del Monte Davis donde nadie vivía por kilómetros y kilómetros. Entre las peñas y cuestas de las montañas crecían grandes y deliciosas moras silvestres.

En el otoño, toda la familia con botas de caucho y ropa cómoda nos metíamos en las montañas por días enteros y recogíamos moras que nos duraban todo el invierno. Para nosotros como niños, correr entre las peñas y recoger moras era un gran juego.

Mi padre se adelantaba al entrar en el bosque y todos nosotros le seguíamos, alerta y listos a escuchar, porque dentro de las rocas también vivían serpientes de cascabel, tan venenosas que su mordedura mata en minutos, aunque se dice que una serpiente de cascabel hace sonar su cascabel tres veces antes de atacar. Entonces, a pesar de todos nuestros juegos teníamos que estar muy alerta a los sonidos alrededor de nosotros y si oíamos a una serpiente, permanecíamos como petrificados hasta que mi papá la encontraba y la mataba, entonces corríamos otra vez a buscar las moras.

En las montañas también vivían una clase de langosta, un insecto que hace un sonido casi idéntico a las serpientes de cascabel, por eso teníamos que aprender a distinguir entre el sonido de la langosta y el de la serpiente. Si no hubiéramos aprendido a distinguir estos sonidos, nos hubiéramos quedado allí parados escuchando, pensando que era una serpiente y nunca hubiéramos alcanzado a coger suficientes moras para el invierno, ya que las langostas estaban por todas partes alrededor de nosotros.

De otro lado, si hubiéramos dicho: "Yo no creo en serpientes, hace cientos de años que las mataron a todas; esos sonidos sólo son de langostas", pronto hubiéramos muerto de una mordedura.

Cuando encontrábamos una serpiente, mi padre no entraba en diálogo con ella, preguntándole su nombre o cómo había llegado allí. ¡No, mi papá sencillamente la mataba y se deshacía de ella! Nuestra tarea no era cazar serpientes de cascabel, ¡no! la tarea nuestra era recoger moras. Fácilmente hubiéramos podido desviarnos de nuestro propósito y haber pasado el tiempo estudiando las serpientes o conversando con ellas, y así hubiéramos perdido la cosecha de tantas moras que nos duraban todo el invierno.

Podemos aplicar esta ilustración a la vida cristiana: Dios nos llamó para extender su reino, para proclamar el año agradable del Señor, sanidad para los corazones quebrantados, libertad para los prisioneros y los oprimidos y para traer las Buenas Nuevas a los que no le conocen. Si en el camino encontramos un espíritu maligno, un demonio o una puerta abierta al reino de las tinieblas, tenemos que quitarlo en el nombre de Cristo.

Cristo no se detuvo para entrar en conversación con los espíritus malignos que echaba fuera; en ocasiones les preguntaba su nombre, pero más bien les llamaba por el nombre de los efectos que tenía en la vida de la persona, tal como "espíritu sordo y mudo" (Marcos 9:25), nunca les permitió decir nada. El estaba ocupado en predicar el mensaje del Reino de Dios y si encontraba espíritus malignos en su camino los expulsaba.

Hoy tenemos el mismo mensaje, el mensaje de restauración y de sanidad. Los espíritus malignos y las puertas abiertas, sí, existen y al proclamar las Buenas Nuevas de Cristo vamos a encontrarlos. Tenemos que aprender a distinguir entre las "langostas" y las "cascabeles" espirituales y sicológicas para que no pasemos nuestros días buscando espíritus malignos donde sólo hay heridas sicológicas o que no reconozcamos los espíritus malignos camuflados en problemas sicológicos.

Cuando encontramos espíritus malignos, tenemos que atarlos, echarlos fuera, cerrar todas las puertas abiertas, y proclamar a Cristo como Rey de cada área, pero nunca debemos permitir que ello nos desvíe de nuestra tarea principal de proclamar las Buenas Nuevas del Reino de Dios. La experiencia del pastor Roberto nos muestra cuán fácil es llegar a dejarnos distraer por las "cascabeles" espirituales.

PASTOR ROBERTO

Poco después de empezar nuestro ministerio en Colombia, tuvimos el privilegio de tomar parte en una serie de conferencias para los pastores y misioneros dictadas por el pastor Roberto. Su iglesia había crecido rápidamente y los creyentes estaban aprendiendo a alabar a Dios. Sin embargo, al empezar cada culto sentían una presencia maligna, oscura y opresiva que destruía su libertad de alabar.

"Cuando eso llegaba", nos contó el pastor Roberto, "los ujieres venían a mi oficina, diciendo: 'Pastor, los espíritus malignos están aquí, por favor, ¡venga a echarlos fuera!'"

"Yo siempre salía rápidamente de mi oficina y les decía a los espíritus: '¡Váyanse, en el nombre de Cristo!' Siempre salieron y la gente podía alabar libremente". Con el paso del tiempo, llegó a ser cada vez más difícil hacerlos salir y algunas veces duraba hasta media hora tratando de limpiar el ambiente.

Un día, mientras el pastor Roberto estaba en su oficina orando, Dios le preguntó: "¿Por qué en esta iglesia se alaba a los demonios?"

"¿Alabamos a los demonios?", exclamó el pastor Roberto. "Eso es exactamente lo que no estamos haciendo; pues, los echamos fuera".

"No", le contestó Dios, "están alabando a los demonios".

"¿Dios", preguntaba el pastor desconsolado, "cómo puedes decir que estamos alabando a los demonios cuando trabajamos tan duramente para echarles fuera de nuestros cultos?"

"Están alabando a los demonios ya que les dan mucha atención; por treinta minutos usted les habla y atrae atención hacia ellos. A los demonios les encanta todo esto y por eso es que se juntan cada vez más. Desde luego tienen que salir al fin, pero mientras tanto les gusta la atención que les prestan".

"Pero, Dios", clamó el pastor, "si eso les alaba, ¿cómo podemos deshacernos de ellos?"

"Haz que la gente me alabe a mí".

"Pero, ellos no se van y el ambiente se torna tan pesado que la gente ni puede alabar".

"Sigan alabándome de todos modos porque no hay demonio que se quede para oír a la gente alabándome a mí".

El domingo siguiente, como siempre, vino el ujier corriendo a la oficina del pastor Roberto y dijo: "Pastor, los demonios están ahí otra vez, venga a echarlos fuera".

El pastor salió y dijo a la congregación: "Todos de pie, vamos a alabar a Dios".

"Era terrible", el pastor Roberto nos dijo. "Sentía como si estuviéramos luchando en contra de los mismos poderes de las tinieblas, pero seguimos alabando al Señor lo mejor que podíamos y después de veinticinco minutos el ambiente pesado desapareció y pudimos alabar a Dios con libertad".

El domingo siguiente la batalla duró por unos veinte minutos, el siguiente unos diez minutos y en dos semanas más el ambiente era libre y la congregación podía alabar y adorar con libertad. El ambiente pesado nunca volvió a aparecer, no hubo más espíritus malignos que echar fuera. ¡No hay demonio que se pueda quedar en un ambiente donde genuinamente se alaba a Dios!

El pastor Roberto aprendió una lección muy importante para todos nosotros los que proclamamos las Buenas Noticias de la libertad que hay en Cristo Jesús: El debe ser el centro de nuestra atención y conversación o nos desviaremos buscando "cascabeles", y perderemos la cosecha para el Reino de Dios. Toda la atención, la alabanza y la gloria pertenece a El, porque sólo El es digno de alabanza.

ENTREGANDO LA ALABANZA

Si abres tu vida a Cristo, El te usará para traer sanidad a otros en maneras que nunca pensaste posible y entonces aquellos a quienes Dios toca por medio tuyo, van a querer agradecerte por las bendiciones que han recibido. Cuando eso pasa, muchos creyentes se sienten incómodos porque saben que Dios no da su gloria a otro (Isaías 42:8).

Casi siempre respondemos a agradecimientos con tales frases como: "No me agradezca a mí, yo no hice nada" o "toda la gloria pertenece a El, yo sólo soy su siervo" y por dentro nos estremecemos sin saber qué hacer con todo el agradecimiento y el elogio que recibimos. ¿Cómo puede uno ser humilde y libre de orgullo en esos momentos?

En la iglesia donde me crié hicieron mucho énfasis en la importancia de ser humilde, el orgullo era considerado un pecado muy grave. Estoy agradecida por esa enseñanza porque me ha hecho muy consciente de que toda gloria pertenece a Dios.

Sin embargo, yo tuve dificultades en aprender qué era lo que significaba realmente ser humilde. ¿Quería decir que siempre debía menospreciarme, nunca debía sentirme bien en cuanto a lo que yo era o podía hacer? Constantemente estaba revisándome para ver si tal vez algo de orgullo había en mi vida y cuando alcanzaba a decir frases humildes como: "Da toda la gloria a Dios, no a mí", me sentía tan buena, ¡esta vez yo había logrado permanecer humilde! Pero, ¡entonces me di cuenta que me sentía orgullosa de mi humildad!

El orgullo era como pegamento; lo quitaba de una mano y se pegaba a la otra y entonces la quitaba de la otra y se pegaba a la primera. "Dios", grité desesperada, "¿cómo puedo llegar a ser verdaderamente humilde?"

Entonces un día Dios me habló: "Arline", me dijo, "olvídate de tratar de permanecer humilde, deja de revisarte; sólo mírame a mí".

"Pero, Dios", exclamé, "¿cómo voy a saber si estoy dando lugar al orgullo, si no me examino?"

"Fija tus ojos en los míos", contestó, "yo quiero guiarte con mis ojos (Salmos 32:8), yo te diré si estás volviéndote orgullosa".

"Pero supón que no lo noto y, de veras, llego a ser orgullosa, ¡te quitaría tu gloria!"

"¿Piensas que yo no soy capaz de cuidarte para que no llegues a ser orgullosa?", preguntó Dios. "¿Crees que tú puedes guiarte mejor que yo? Fija tus ojos en los míos y yo te daré de mi humildad".

Qué alivio sentí al no tener que estar examinándome constantemente y más bien, depender solamente de Dios y su humildad para yo serlo. ¿Pero qué podemos hacer con las alabanzas que recibimos cuando el Espíritu Santo nos usa?

La Biblia nos dice en Efesios 1:12 que Dios nos predestinó para ser "alabanza de su gloria". Por mucho tiempo ese versículo me molestó y Dios me lo traía a mi mente vez tras vez: ¿Qué quería decir para mí? Yo era una persona cualquiera, nadie especial, ¿cómo podía ser yo alabanza de su gloria?"

Un día Dios me preguntó: "¿Qué es lo que la gente ora cuando piensa en ti? ¿Cuántas veces oran por paciencia para aguantarte? ¿Cuántas veces piden poder para tener una actitud cristiana frente a ti? Cuando ellos oran así, no estás viviendo para alabanza de mi gloria; o a cambio ¿cuántas veces dicen: 'Gracias, Dios, por Arline, su vida es una bendición para mí'? Así sucede cuando tú vives para la alabanza de mi nombre".

¡Qué desafío! Cuando yo vivo mi vida de tal manera que otros pueden alabar a Dios al pensar en mí, entonces vivo para la alabanza de Dios. Cuando tú vives de tal manera que otros alaban a Dios cuando piensan en ti, entonces tú vives para la alabanza de su gloria.

Eso entonces debe llegar a ser nuestra meta consciente: Vivir de tal manera que cuando otros piensen en nosotros, digan: "Gracias Dios por su vida". Pero, entonces, ¿qué hacemos cuando nos elogian y vivimos esa clase de vida que glorifica a Dios?

UN RAMO DE ALABANZA

Tal vez si pensamos que la alabanza es como un ramo de flores, sería más fácil entenderlo ya que necesitamos flores para adornar nuestras vidas y Dios las hizo para que las disfrutemos. Un ramo de flores es para olerlo, apreciar su belleza y colocarlo en un florero, no es para que lo mantengamos cogido en la mano, ni para que lo comamos. Si rehusamos soltarlo, se morirá en nuestras manos y si nos lo comemos, nos enfermamos.

De igual manera funciona el elogio; necesitamos ser elogiados cuando hacemos algo bien, pero si retenemos las palabras de elogio, repitiéndolas vez tras vez, esas palabras llegan a inflarnos y pierden su belleza. El elogio debe ser tomado en dosis pequeñas y diluidas, tenemos que solamente olfatearlo, porque si lo tragamos, nos hace arrogantes, autosuficientes y orgullosos. El elogio debemos olfatearlo, y pasárselo a Dios. ¿Cómo podemos pasarlo a Dios?

Hay personas que piensan que al pasar el elogio a Dios uno nunca debe sentirse bien en cuanto a uno mismo, piensan que sentirse bien acerca de uno mismo es igual a sentirse orgulloso y por eso se menosprecian constantemente. Si alguien trata de agradecerles o alabarles, ellos inmediatamente sacan a relucir un error en lo que hicieron y así tratan de mantenerse humildes.

Mi hermana menor es artista en óleo y cierta vez nos invitó a una exhibición de sus obras. Las cuatro paredes estaban cubiertas de cuadros lindísimos y la gente paseaba de un lado a otro disfrutando de su belleza. Al mostrarnos su obra, mi hermana nos contaba acerca de los cuadros, los pensamientos que los habían inspirado y nosotros gozamos inmensamente de su exhibición.

Pero imagínense que mi hermana, para no sentirse orgullosa hubiera señalado errores en los cuadros que nos mostraba: "Ese cuadro en realidad no resultó bien por aquella sombra, y en ese otro los colores no se mezclaron bien, bueno... este sí está más o menos bien, pero desde luego, Miguel Angel hubiera podido hacerlo mejor".

Si mi hermana hubiese hecho algo semejante, todos nos hubiéramos sentido frustrados, la visita a la exhibición habría dejado de ser placentera y con seguridad hubiéramos salido tan pronto hubiésemos podido. Pero así como ella lo hizo, todos disfrutamos muchísimo y mi hermana tanto como nosotros. ¿No debía ella disfrutar de la belleza de sus propias obras igual que lo hubiera hecho con las de otros maestros? ¿Debía ella menospreciarlas y no recrearse en ellas, sencillamente porque ella las había pintado? ¿Es eso lo que significa humildad? ¡Claro que no! Entonces, ¿de qué se trata?

El pastor Roberto nos relató, cómo él aprendió a entregar el elogio cuando el Espíritu Santo empezó a moverse en su iglesia; él siempre había usado frases como: "No me lo agradezca a mí, Dios lo hizo".

"Ahora, ya no digo eso", nos contó. "Ahora, cuando alguien me dice: 'Pastor, Dios me habló por medio de su mensaje esta mañana', yo le contesto, 'Gracias, estoy muy contento de que Dios te haya tocado' o 'Me alegro que pudiste estar aquí' o 'Gracias por compartir eso conmigo'".

"Entonces tan pronto puedo estar a solas, oro: 'Señor, ¿te acuerdas de esa señora de gafas oscuras? Ella me dijo que tú realmente le hablaste esta mañana; Dios, te entrego esa alabanza, pertenece a ti. ¿Y te acuerdas de aquel viejito que estaba bien atrás en la iglesia? El dijo que su corazón fue conmovido por el sermón; aquí Señor, te entrego también esa alabanza. Y esa señora de vestido azul que dijo que sentía tu presencia, también te entrego esta alabanza a ti. Gracias, Dios mío, por que tú me usaste, quiero que mi vida sea para la alabanza de tu gloria. Aquí tienes todo ese elogio y gloria, te lo entrego a ti'".

Cuando nos quedamos con el elogio y la alabanza entramos en competencia con nosotros mismos y continuamente sentimos que tenemos que llegar a ser mejor y mejor, ya no en el sentido de tener más experiencia y más práctica, sino en el sentido de hacerlo mejor de lo que lo hicimos la vez anterior. Si llegamos a recibir menos elogio que en la ocasión anterior nos sentimos deprimidos e inseguros, y si recibimos más, nos sentimos orgullosos y erróneamente podremos llegar a centrarnos en la alabanza que recibimos en lugar de hacerlo en lo que Dios hace.

Cuando pasamos el elogio a Dios, somos libres para ser nosotros mismos; no tenemos que suponer ser alguien importante y no estaremos en competencia, ni siquiera con nosotros mismos. Sólo así estaremos libres y listos para ver qué más quiere hacer Dios por medio de nosotros.

Las flores son bellas; a la vida le faltaría belleza sin ellas. Dios las hizo para que nosotros aspiráramos su fragancia y las disfrutáramos, y así mismo es el elogio, lo necesitamos. Las críticas y el menosprecio constante contrarrestan el gozo de la vida. Dios mismo nos alaba, su Espíritu nos dice en la profundidad de nuestro espíritu que somos sus hijos (Romanos 8:16), y nos dice también, que somos santos.

En la medida en que tú pasas los ramos de alabanza a Dios, El comparte contigo sus fragancias y su poder fluye a través de ti; El te da el gozo del Señor y tú le entregas más gloria y alabanza. Tus ojos ya no se fijan en ti, sino en El, y mientras tú te deleitas en El y El en ti, la fragancia de su gloria y alabanza fluye a aquellos que se encuentran alrededor tuyo y ellos también verán la gloria de Dios. ¡Eso es vivir para la alabanza de su gloria!

Entonces, un día tú vas a oírle decir: "Bien, buen siervo y fiel ... entra en el gozo de tu Señor" (Mateo 25:21); El te dará la corona de gloria y tú en admiración y adoración, con todas las huestes del cielo, la colocarás delante de El, porque sólo El es digno de recibir alabanza y gloria y honra y poder.

Sí, ven, Señor Jesús.

Acerca del autor

Arline Westmeier nació en Pennsylvania, EE.UU. Hizo su entrega a Jesucristo a la temprana edad de tres años y medio. Siempre sintió el llamado a ser misionera. Estudió la carrera de enfermería y en 1.965 salió a Costa Rica para aprender español. Allí conoció a Carlos Westmeier, quien venía de Alemania también para estudiar español, rumbo a Colombia como misionero. Los dos contrajeron matrimonio y sirvieron en Colombia por más de veintiún años. Allí tuvieron dos hijos, David y Ruth. En 1.986 se trasladaron a Nyack, N.Y., EE.UU., donde su esposo fue nombrado profesor de misiones en el Seminario Teológico Alianza.

Además de estudiar enfermería, Arline tiene los siguientes títulos: licenciatura en sicología de la Universidad del estado de Nueva York, licenciatura en estudios profesionales del Seminario Teológico Alianza de Nyack, N.Y., licenciatura en teología de la Universidad de Aberdeen, Escocia y es candidata al doctorado en filosofía con especialización en sicología y religión de la Universidad de Drew de Madison, N.J., EE.UU.

Actualmente, practica sicología clínica en su oficina en Nyack, N.Y. y trabaja medio tiempo los fines de semana en la clínica siquiátrica, Centro Siquiátrico de Rockland del estado de New York. Ella y su esposo son miembros de la Iglesia Hispana Alianza Cristiana y Misionera de Queens, N.Y.

Todos los versos bíblicos son citados de *La Santa Biblia*, Antigua versión de Casiodoro de Reina y Cipriano de Valera, revisión 1960, Sociedades Bíblicas en América Latina..

Los nombres y lugares han sido cambiados con el fin de mantener en forma anónima la identidad de quienes amablemente me autorizaron relatar sus experiencias.

Otros libros por la misma autora:

Die verletzte Seele heilen: Gesundung durch Seelsorge
Healing the Wounded Soul: Ways to Inner Wholeness
Sanidad del alma herida: Camino a la sanidad interior